劉福春・李怡 主編

民國文學珍稀文獻集成

第三輯

新詩舊集影印叢編　第114冊

【臧克家卷】

古樹的花朵

重慶：東方書社 1942 年 12 月出版

臧克家　著

花木蘭文化事業有限公司

國家圖書館出版品預行編目資料

古樹的花朵／臧克家　著 -- 初版 -- 新北市：花木蘭文化事業有限公司，2021〔民 110〕

146 面；19×26 公分

（民國文學珍稀文獻集成．第三輯．新詩舊集影印叢編　第 114 冊）

ISBN 978-986-518-473-5（套書精裝）

831.8　　　　　　　　　　　　10010193

ISBN-978-986-518-473-5

9 789865 184735

民國文學珍稀文獻集成．第三輯．新詩舊集影印叢編（86-120 冊）
第 114 冊

古樹的花朵

著　者　臧克家
主　編　劉福春、李怡
企　劃　四川大學中國詩歌研究院
　　　　四川大學大文學學派
總 編 輯　杜潔祥
副總編輯　楊嘉樂
編　輯　許郁翎、張雅淋、潘玟靜　美術編輯　陳逸婷
出　版　花木蘭文化事業有限公司
社　長　高小娟
聯絡地址　235 新北市中和區中安街七二號十三樓
　　　　電話：02-2923-1455／傳真：02-2923-1452
網　址　http://www.huamulan.tw 信箱 service@huamulans.com
印　刷　普羅文化出版廣告事業
初　版　2021 年 8 月
定　價　第三輯 86-120 冊（精裝）新台幣 88,000 元　

古樹的花朵

臧克家 著

東方書社（重慶）一九四二年十二月出版。原書三十二開。

古樹的花朵
五千行英雄史詩
臧克家著

范築先　　林仰崢作

古樹的花朵

（一名范築先）

東方文藝叢書

臧克家著

東方書社發行

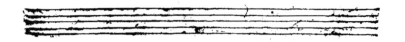

序

范築先，是一個新的英雄。他以驚人的老齡和毅力推開過去，用戰鬥爲國家民族和自己另闢一個嶄新的生命。他謐淸了光明，眞理及其反面的意義，他以他的血作油，去點亮理想的明燈。他是一顆老人星：他是一棵古樹，在大時代的氣流裏開出了鮮紅的花朵。

他把戰鬥的精神與紅血留給了人間，像一道不敗的彩虹。

抗戰以來，以轟轟烈烈的死，表現了中華民族的氣節與人格的英雄——人的花朵，先後開放了許多，而范築先，是這些人花叢中燦爛的一朵。他的素樸的光輝照燿着人的眼，人的心。魯北的民衆紀念着他的名子，中國人，甚至外國人，也都以崇敬的眼光仰望他，像仰望着一個巨人。

是的，他是一個巨人，他有着一隻擎天的手。

當敵人的馬蹄以敏捷的步子衝入了山東邊緣的時候，「韓主席」用更快的速度把幾十萬大軍帶到了黃河南岸去，西北的半壁天地成了一個被棄的孩子。千百萬的人民頓然陷入了嘆息，惶恐，彷徨之中，替自己尋找着歸宿。這時候，一隻指路的手，對於他們，比生命本身更有意義，更重要。

范築先，他就是在這茫茫夜裏，聳立起來的一座燈塔，向人眼放射出光亮。他以六十歲的高齡，他以一條給內戰幾乎磨碎了的身子和心，他以一個專員的資格，被良心，責任，理想，推到大衆的臉前來了。一出場，就帶着生死不移的決心，和朝氣蓬勃的戰鬥氣勢。他向青年智識份子號召，他向勞工號召，他向婦女兒童號召，他向一切有良心，有血性，有爲民族戰鬥的決心的人們號召。他提出了「良心抗戰」「責任抗戰」「守土抗戰」的三個口號。口號，不是虛僞的宣傳，不是欺騙，是一支號筒，一塊磁鐵。如是，如響應聲的，農民向他走來了，工人向他走來了，學生向他走來了，婦女，政工，文化人員，向他走來了。有的從近處，有的從千山萬水以外，大家追隨着他，像影子追隨着形體。

一開始，他差不多是一個人，有的僅只是一張口，兩隻手；然而一年以後呢，他建立了十幾萬軍隊，把政治工作打進士兵的腦子裏去作他們的靈魂；他建立了農會，工會，婦女會，一切抗日的力量的組織。他盡量的向大衆中間去開發力量，他知道還是克敵制勝的惟一源泉。他，慈悲，和藹，他有顆良善的心，但這些美德並不是洋溢着淹沒了他。另外，他還有一副鐵的臉子，鐵的手腕，鐵的心。他是人民的慈母，同時，也是他們的嚴父，他是一個領袖，一個優秀的組織者。他們擁戴他，由於愛，由於敬，由於他和羣衆同甘苦，共生死的那副艱苦堅忍的精神，而最重要的，還是因爲他是一個引路人，一個偉大的戰鬥指導者。他用鐵的紀律去範圍，維系他的部下，但，有時也替它的往往是骨肉的眞情和他那一把斑白的鬍鬚。這樣，即使像喝慣了人血的「架機子」，也伏貼在「老頭子」的手下另變了一個新人。

他抓緊了時代，抓住了人心，他領導着他們一刻也不停息的在戰鬥中磨鍊，流血。他把一盞希望的燈，掛在人人可以看得見的距離以內，他同他們，用戰鬥，用血，用生命去接近它。

他的兒女，抗戰前的少爺小姐，他把他們投到一個「熔爐」裏鍛鍊過，改造過，成了一個新的型。兒子范樹民帶着「挺進隊」挺同濟南，犧牲了，他才不過是二十幾歲的一個孩子。當這不幸的消息報告過來的時候，這「老頭子」並沒有流一滴淚；「犧牲沒關係，只是這一回太不够本！」他却對着安慰他的人們這麼說了。同他兒子一起倒下去的還有他的女婿，范樹琨的未婚夫，「挺進隊」的參謀長——何芳，一個傑出的戰士，此外還有二十幾位青年。隊長他們死在今天；然而戰鬥却還有個明天，范樹琨，以一個女兒身，接替了他哥哥職位，用鎗去討血債。

范築先，用血，用苦心，用超出人情的堅忍培植出來的勝利的花朵，全國的同胞們，國際友人們，正以驚奇希望的眼來賞鑑它的時候，一陣暴雨却把它打碎了。

他倒了下來。而敵人的鎗炮却沒有打倒他的心，只製造了一幕悲壯的劇，以他，六十多歲的一個老頭子做了英雄的主角。

新的英雄，應該是一個典型的人，把人的水準提高，使大家去够及它。范築先就是這樣一個高度水準的人。

我爲什麼要以五千行的長詩來更歌范築先呢？

「黑線條裏的光明區」，魯北抗日堡壘——聊城，是舊日東昌府，也就是從古出英雄的燕趙之地。我的曾祖父曾經在這個縣分做過「教諭」，我小的時候，曾祖母的口把它的一個神祕的影子送給了我。抗戰前，我在張自忠將軍的故鄉——臨清，教過三年書，臨清和聊城是連着手臂的弟兄。「七七」事變三個月後，敵人要到來的消息，把臨清的官府學校都嚇散了，那狼狽，那慌張，那零亂的情形，今天想起來還活栩在眼前。而一般學生，走頭無路，頓足啼哭，像被搗毀了窠巢的鳥兒，一般老百姓，情況也是一樣。我們十幾位同事，集體流亡着聊城，那時候，就風作着「范老頭子」要留下來打游擊，這消息，定心丸一樣的給人們精神以鎮定。被棄的人民眼前有了一個希望。後來，我們輾轉的到了濟南，不久，「韓主席」做着「黃河為界」的幻夢，一聲巨響，把價值五千萬的洛口大鐵橋粉身萬段。起初，敵人一到德州，就大貼標語「擁護韓主席」，後來，我在濟南也常看到「敵機」到上空遊玩，老百姓們都毫不在乎的站「街筒子」，叫着，仰着頭看，因為它不投炸彈，不過偶爾投下一些「神祕的紙包」而已。這是十二月間的事。在以先，「韓主席」就幾次嚴令范築先率領部下，帶着壯丁和槍支，速渡黃河；但，終於被他拒絕了，他在黃河岸上，向天下的耳朵發出了「誓死不渡黃河」的通電，最後，他以死踐了他的諾言，像

去年，在一張報紙上看到了紀念范築先的許多文章，同時也看到了電影廣告：「范築先」，我的心一動，因為同他一道殉難的許多人裏邊有我的一位朋友——張郁光。後來，在外的繼到家幾個新朋友，談到范築先，談得那麼親切，感動，像述說一位古代悲劇裏的英雄的故事，說的人終於滴下了眼淚，而聽的我也酸鼻了。這些朋友之中就有一位是跟范築先一起戰鬥過的支隊司令。他以興奮的口吻說着，我請他用筆把這些悲壯的故事移到紙上去。再後幾個月，在安徽的一個小縣城裏會到了范築先的老友、戰友，前任臨清專員韓多峯先生，他又給我加添了許多鮮生生的材料。冬天，在阜陽一個訓練班裏，一個「臨清中學」的老同學找上了我來。不是他背起往事，道過姓名，時間把他改變得使我幾乎認不得了。他說，他曾經做過「挺進隊」的隊員，並且，繪聲繪影的把一切經過細末發機的數話給我。一個人名，一個地名，甚至一個日子，都記得那麼牢，好似在心上生了根的一樣。分手以後，他又幾次用幾張信紙上的蠅頭小字，補綴他彷彿永遠不斷頭的戰鬥的故事。

我無饜足的搜括着材料，心，日夜在魯北。回憶着，揣摩着，想像的翅子迴翔在事實上，感情澎湃得人，日夜心跳。

三個月以前，范樹琨因爲材料的事，從陝西投給我一個信，昔日的女戰士，今天變成農林學院的學生了。

從搜集材料到完成，差不多費了一年的功夫。寫一個人物很難，寫像范築先這樣一個人物更難！「英雄」這兩個字並沒有先入爲主的得到我的心。我只想把范築先寫成這樣一個人物：時代把他從陷身已久的古井筒裏打撈出來，用不屈的決心去打擊敵人，建立自己的理想。他有一副新的觀念，他接近羣衆，領導羣衆，而目的在拯救他們，因爲，他認清了時代，也認清了民衆的力量。他有歡喜，也有眼淚，有決心，也有矛盾，不存心把他寫成一個英雄，只想把他寫成一個和羣衆連結着的有血有肉的人。

事實並不能成爲藝術上的眞實，我寫的是史詩，然而却不是歷史或戰史。所以，我得從材料的身幹上剪去一些繁枝浮葉，另外，把一些足以使它生色發光的東西點綴上去，例如地震，大水……——這一些眼前的實景。

我的范築先是我用自己的心血塑成的一個藝術上人的人型。

寫長詩特別需要氣魄和組織力。爲了緊張的場面叫起來的不羈的情感，爲了使氣勢不受窒息，字句就不能太侷促於謹嚴的韻律和韻腳下了。因此，在格調上，這個詩篇也就有些不同。同時，意識和材料也在壓迫着我試探改變自己的風格，使它更恢廓些。這篇東西也許可以作爲起點的第一個步子。

三十一年九月七日於渝。

小引

生命是脆弱的，
死，並不是難事；
但，誰能死得像他這樣，
有聲，有響，
有彩光？
誰有他這樣
一副肝膽，義氣，
更叫人激動？
一家的紅血
化一道長虹，
耀眼放光的
掛在歷史的天空。

1 水刷洗着大地

水龍頭開着嘴，
雨神偷懶的在打盹，
天上時間的秒針
也許剛轉了一個圈，
而人間，
嘀溜嘩啦直流了一個六月天。
「太陽還在頭頂上」？
恨他又盼他的心
這麼想。
而他，却是在
雲圍中戰鬥，
揮起金戈千萬條，
無奈雲幕的盾牌太堅厚。
「老天積壓的悶氣
可出了個够！」
土地膿爛的
鼓脹着大肚皮，
像一隻淹死的狗。
水，
擺出征服者的姿勢
到處喧鬧橫行，

古樹的花朵

— 2 —

柔綠淪它淹沒，
乾淨任淪它沒徹底，
「三山六水一分田」，
它要把整個宇宙佔領。
它對大地說：
「我給你這骯髒的身子
洗一個澡，
五臟六腑，
連着魂靈，
索性刷洗一遍，
把幾千來的汚垢，
積壞，
汚穢，
腐臭，
和恥辱，
一齊刷掉吧！
運河，
一條頭，

撞入
運河的槽，
然後，
動起漩渦，
領起船隻，
挾着小清河，
一齊到東海去會師。

2 聊城—這光榮的名子！

打開地圖
看：
津浦路
和運河的平行線，
從河北
向山東蜿蜒，
叫德州一彎，
運河鋸齒的身子
斜往東南。

— 3 —

生長張自忠的
臨清，
生長范築先的
館陶，
生長武訓的
堂邑，
像天上的杓子星，
聊城，
做一個柄。
七十歲的曾祖母，
會用說故事的嘴
給我講聊城，
用話頭的顏色
描繪一座鼓樓，
它閃耀在
神祕的燈光下，
更奇詭，
更瑰麗，

當它顯現在我的夢中。
聊城，
聽起來有點陌生，
提一聲「東昌府」，
也許能從你心裏
叫出一縷親切的感情，
推上兩千年，
它不是燕地
就是趙土，
誰管得這麼多，
我們並不是在弄考證，
這兩個名子
本來就分不開，
燕趙
從古就是連宗。
還是一個金盆底
一片大平原，
運河穿過它，

古樹的花朵

—4—

有水卻沒有山。
「山是個什麼樣子？」
「山像雲頭」。
把這句話
塗在想像的白布上，
這一帶的人民
拿雲頭當山看。
魯北棉業區
就是指這個地帶，
秋天的拾花女
衣襟頭一坡雲彩，
棉花的色澤
賽銀元，
惹得敵人
眼饞，心饞，
垂三尺口涎！
他一口吞下內蒙，
又伸手向華北五省，
造出個「冀察政委會」，
慾壑還填不平，
也不怕中消化不良症，
他的胃口裏
還缺少個山東。
他情願
憑一張契約，
投送過來
一大批金錢，
用它去築濟聊路，
說是替我們發展交通。
聊城，
它沐着塞外的風，
人民的性子
比北風更硬！
他們豪爽，
他們樸實，
「凍死迎風站，

餓死不彎腰！
看他們的骨氣，
聽這兩句民謠。
可以在「議和」的面前
低頭；
懺悔，
決不能下嚥——
他們沒長着
那樣的軟喉。
（對着敵人，
他們會不吝嗇自己的生命）

3 衝破了過去的夢

聊城，
在水鏡裏
賞玩自己的影，
大堤
加給他一條腰帶，
緊緊的防衛着，
水的無情。
鼓樓
把身子探到半空，
蒼涼的記憶，
蒼涼的顏影，
鐵鳳鈴在風前叮咚，
一聲聲、
替它敲着遲暮的喪鐘。
東關和大街
緊拉着手，
東城的鐵門，
在爛泥中腐蝕它的生命。
西方，北方，南方，
三面的城門口
吐一條舌頭——
橋下的人影
隨着橋上的行人移動。

「七七」，
在中國古井的水上
投一塊石頭，
波紋的圈子
向外展開，
開到每一個角落，
開到每一個胸懷，
每一顆心，
隨着這波動
波動起來。
莊樂先，
六十歲的一條老漢，
四十年的內戰
給他留下了
一條血的記憶，
和一個「專員」的官銜。
近來，他忽然，
見了公文就心煩，
胡亂畫着「行」字，
心，
卻不在「等因奉此」之間。
他的心
本來是和善，
近些天，迎接人的時候，
再也找不到
那副笑臉，
他吃飯，
飯也不甜，
他睡覺，
床鋪像針毡，
他掂着筆桿
探歎，
他覺得，他的天地
太不够寬，
覺得有一隻手
日夜搖撼着他，

覺得誰把他的心
像換過的一般。
他什麼都無心，
什麼都厭煩，
他只喜歡：
夜晚八至九
這一段時間。
他以等待愛人的急切心
等待它，
他以等待命令的嚴肅心
等待它
等待
收音機裏
那個男子的允音，
「一個字一個字的
播散着
擠進他的耳朵裏滾着—
深清楚

羅安亮
像一個慳吝人
一個一個
認眞的敲點他的金元。
收音機的燈
亮了，
他的心
也亮了，
他用手扭動它的小圓輪，
扭得它
吱吱亂叫，
像扭着了它的心！
聲音響了，
響出了
一個女人的柔嫩，
鑼鼓一陣
掌聲一陣，
「拉拉扯扯扯到公堂……」

古樹的花朵

那個都市的劇場上
有人在欣賞[illegible]了，
他[illegible]的
再一轉，
轉過來的
是醉人的爵士樂
雖然看不見
那艷紅燈，
那人影交影
那濃馥的香風。
他在鏡面上
撥轉著時針。
在[illegible]的線條裏
被拉斷了……
他所要的那聲音，
成功的得意，
叫他安放在一張籐椅上出神，
對著收音機

像對著一位知心的友人」
把思想
從心上拔去，
把聲音
從耳朵邊趕跑，
吃住了時間，
鎖住了呼吸，
他用焦灼的[illegible]心，
緊肅的臉子，
向他的朋友
追追好消息。
（S.C.O.A.——
你聽
他開口了
時間
一點也不遲。）
「一[illegible]登[illegible]」
戰死！

佟麟閣
　殉職！」
他耳朵裏
響了兩個霹靂！
接二連三，
有人用斧頭
往他腦子裏
亂打釘子！
「大水阻住了
　敵人的坦克車，
戰壕裏的弟兄們
叫水沒了半截，
然而，一股神勁
鼓起了他們的勇敢，
遠了用槍，
近了
叫敵人吃大刀片；
從戰壕裏出來，
經過幾夜幾天，
　裹腿勒到爛肉裏去，
　用刀子把它砍斷！……」
他坐在椅圈裏，
像神座上的神像，
記憶領着他
到了另一些地方，
到南口，
到南苑，
到宛平，
到豐台……
這些地方，
二十年來
內戰的血
把草都染紅了，
這些地方！
今天，却變成了
民族的戰場，

古樹的花朵　　—01—

這些自殘的悲劇上，
那一場盜着他……
插着不同染色的旗子
扮兵又扮將？
今天，！
你打倒我，……
明天
我打倒你
為了
什麼目的？！
爭奪了
誰的指使的？！
小（人說出來要羞死！）
遭殃的小兵
用自己的血！
給別人寫戰功；
遭殃的是百姓——
換十次主子

[illegible]旗號，
換一次主子，
戰爭又發生；
說一本糊塗賬、
寫着恩恩怨怨，
一尼米西思（註一）
提着復仇的圈圈，
今天，……
套上了李四，
明天是張三。
這些戰場
那些連結着戰爭的地方，
游擊先，
他不但能背出它們的名字，
他還可以對你講：
那個山頭低，
那個山頭高，
那裏的人情厚，

體格好，
那裏的白骨最多，
那裏最險要……
他看見
趙登禹，佟麟閣，
對着他笑；
他聽見
他同伍的，
　同排的，
　同連的弟兄
對着他叫，
死了的，
骨灰已經化銷，
活到現在的
又有多少?!
而他，范築先，
在命運的扶持下，
爬着白骨的階梯，
旅長，排長，連長……旅長，
一直爬得很高很高。
「我范築先老了」？
「不老」！誰在回答他。
他捋了一下鬍鬚，
用力把肩頭聳了兩聳，
猛一下
立起了身子，
衝出了這個椅圈——
衝破了過去的夢。

4 大地的震撼

天快亮了，
可是還不亮，
人在大夢裏，
遠處有啼鷄。
突然間，
一切東西着了魔：

桌子的腿
在打戰，
桌面上的東西
驚嚇得叫喊，
牆在痙攣，
地在痙攣，
一切
都在動搖不安！
牀，
有隻手在搖撼，
（像母親的手
　搖着搖籃）
起先是輕輕的搖，
越來越起勁，
（好似怕人們的沉睡太重！）
最後發急的猛力一撼，
牀，
像翻了的船，
把人
傾倒在它的身前。
范築先
從地上爬起來，
頭像一口斗，
眼前畫黑圈，
雙腿
在黑海裏盪槳，
不知怎樣
他衝到了庭院。
他的神經
鎮定下來的時候，
大地的神經
早已鎮定。
他在迎候黎明的院子裏
往返的撒着步子，
步子，
在幫助他思想。

他想：
六月裏的大水，
眼前還地震，
兩個奇景攜手同來，
它們來得不是沒原因。
是呵，
大地要翻身！
爲了刷洗腐臭和恥辱，
天叫大雨傾盆！
大地，
他懷抱着五嶽，
攜引着長江大河，
她的一條心
穿起五千年歷史的家珍。
她看見
秦始皇的萬里長城，
叫胡兒望着氣短；
她看見
蒙恬一氣驅走匈奴
七百里路遠；
她看見
霍去病的大旗
插上陰山：
（從此朔風不再酷寒）
她看見
降服西域五十個國家
只憑一個班定遠；
她看見
馬伏波立一條銅柱在交趾
把光榮帶給大漢；
她看見
朱仙鎮上
岳家軍的威嚴——
撼動它，
比撼動泰山還難！
她也看見

不肖的子孫
為她心血累積的財產，
拱手送給人：
台灣，朝鮮，
緬甸和安南……
她也看見
八國的聯軍
殺進北京城，
一把火
焚了圓明園；
她也看見
條約的鍊子
在頸上掛一大串；
她也看見
大軍幾十萬
開進天下第一關，
不吝惜黑水白山，
卻吝惜一粒子彈！

她也看見
島國的強盜
闖進了大門，
又移到了庭院，
入了內室，
直追到你的床前！
她看見她的子孫們
還在貪睡，
刀光直閃到
他們的胸前，
她心痛，
她不能再不管，
她用一雙手
急劇的搖撼：
「醒來吧，
　生死就在眼前」！
范築先，
他想着走着，

走着想着，
一抬頭，
太陽的紅光，
潑了他一臉。

5 你們想走嗎？
我死也不走！

不管這個老頭子
關心戰爭
比關心吃飯還要緊，
不管他
用焦灼的
　祈求的
　可憐的心，
向他「朋友」的口裏。
去摘勝利；
可是，他的「朋友」
只對事實忠實，
也忠實的對他，
因爲他不能編造好消息
討他的歡喜。
他的口，
對無數的心和耳朵
敷衍，
敷衍着
拖過了夏季——
長長的一段血的日子。
他報告着：
烽火從故都
延燒到天津，
秋風把火頭
吹到了滄州；
他報告着：
我們忍痛的
在每一寸土上

洒了最神聖的血，
敵人拿走它，
出了比它十倍的高價。
他報告着，
他的聲音變了，
他不能再從容，
他不能再和平，
他的聲音
是驚浪，
是狂風，
是火，
是一支號筒。
他的這聲音，
向中華古老的靈魂
號召，
他的這聲音，
敲着閉塞的
耳神經，

他的這聲音，
向人心深處猛衝，
他的這聲音，
向大衆的感情
燃燒。
一些驚心的消息，
范築先，
他不全知道，
但也不是全不知道，
一堆事實
用象徵的口
亂嚷嚷的向他報告。
兵馬轉回頭，
壓在冀魯的邊緣，
機槍大炮，
武裝了
縣城的教堂和寺院，
貼着紅膏藥的飛機

出現在天空，
它在刺探着，
　　嗅着，
它的馬達
到處散佈謠言。
謠言的蠅子
東飛西散，
從這縣
飛到那縣，
從這村
飛到那村，
從這個耳邊
飛到那個耳邊。
富貴人家
把大門一關，
留一個老家人
守着一洞海樣的庭院，
他們包好文契，
包好「羣士」，
包好存款摺子
還有女人的首飾，
他們逃不及似的
逃跑了；
帶着愛妾嬌妻，
帶着大女小兒，
逃向上海，
逃向香港，！）
越快越好，
越遠越好，
不叫戰爭趕上，
也不叫它找到。
學校剛入學，
接着放了「國難假」，
女生限十分鐘
搬出大門，
男生，

一個人一支小旗，
上面寫着三個大字：
「募捐隊」。
當局的命令，
是叫他們回到自己的家裏，
「募捐」，
多好聽的一個代名詞！
學生——
一窩蜂
亂飛亂叫，
哭的也不少！
國家？
有的家在河北；
國家？
那裏來路費！
（錢，
被校長一手壟斷！）

嚷着，
哭着，
罵着，
點點頭
大家分了手。
（淚絲永遠連結着心）
他們被推出了
一個樂園夢，
（這個夢破了
再也做不成！）
他們，
從情感的熔爐裏
拔出身子，
南北西東
去受現實的錘鍊——
錘鍊出一個新的生命。
老百姓比較鎮定，

因為他們不得不鎮定，
你逃？
土地却沒有腿，
你動？
破爛家的一動就帶碎！
他們留下來，
在謠言的波浪上浮沉，
他們留下來，
等待謎未來的命運，
他們留下來，
有個偉大的意義扎根在中間，
雖然他們自己
沒法認識這意義的眞面。
（再亮的眼
　　也不能先見）
第四區，臨淸的專員，
搬走了，
抓來民間的車，
　　民間的船，
公物裝上車，
私產上大船，
沙發，馬桶，戲匣子……
一件一件堆成山。
搬走了，
帶着他的屬員，
（這也是他的私產！）
搬到安全的地方去，
做他的「淸」官。
落葉先，
用感傷的老眼
向這些事實看，
用冒火的心
向這些事實看；
可是，使他更感傷，
　　更冒火的
是他自己的屬員。

今天，
你打來個請假的報告，
不是報告，
是一篇偽造的「陳情表」，
明天，
他又來了，
為着同樣的事情，
說一套動人的理由，
甚至叫眼淚作證，
證明，眞是老娘沒人照看，
不是大難沒到
他先要飛逃。
第二天，
他向他的部下訓話
借了紀念週時間的一段
訓詞，
是寫在人心上的
一篇激昂的宣言！

五尺土台子
托一條挺拔的身段，
神經
像鋼條，
眼光
像雙劍，
長鬚像瀑布
垂掛在胸前。
眉頭上的正氣
迫得人呼吸都窒息，
大家立正對着他，
像對着一尊神，
又像對着自已的父親。
「看，
他也請假，
你也請假，
這是什麼時候？
把民族丟在腦後，

心上只掛着個家！」
（有些人的眼，
不敢再去礙他的眼！）
「公務員，
是注定了的
喝閒茶，
吃悶煙，
背公文程式，
死捧住個鐵飯碗？
公務員，
就只配
明地裏奉迎，
背地裏議論，
四圍「衛生麻將」，
抽空去和「姑娘」們廝纏？
公務員，
就只能
嫉恨別人，
爲了自己不得升官，
拿筆桿當鋤桿
去耕事業的田園？
公務員，
就只好
在太平年代裏
埋在公案桌上
恨鐘錶的針跑得太慢？
公務員，
公務員，
在民族的戰綫上
就不能做奮勇的一員？
（多少頭顱
叫羞愧按倒。）
家，
我也有一個，
但是，我要把它拆散，
我要叫他們

走到更遠的地方去，
走到更危險的地方去，
家，
不是養老院，
是一塊絆腳石。
你們看，
看一看我的頭，
你們看，
看一看我的鬍鬚，
你們要走嗎？
我死也不走！
我替自己慶幸，
打了四十年的糊塗仗，
還留個機會
給這條老身子，
來參加民族戰爭——
把良心上的黑點子」
洗個乾淨！」
他的拳頭
像鐵錘，
他的話頭
像鐵錘，
錘着每一顆良心，
每一條神經。
他口裏
噴着唾沫星，
在聽衆的眼裏，
火花一樣明。
話完了，
他才喊一聲：「稍息」，
人的腿和心
一齊解放了，
一個人
吐一口長氣。

6

「走吧，丟下我，
記住敵人！」

初秋的夜
深了，
天上
亮着一個大月亮，
蟲聲
像一條悲切的絲紋，
給秋風抖顫的手指
在彈弄。
古樹上的葉
零零落落的往下掉，
翻騰在月光底下
像半空裏掉下來的星星。
在一間屋子，
屋子上。

坐一盞煤油燈，
白牆上
排列着八個人影，
草蟲把秋夜
叫得這麼淒涼，
這麼靜，
誰也不開口，
一家人
默默地對着燈。
老頭子的頭髮
彷彿更白了，
皺紋
在老太太的胖臉上
爬動，
一個燈花
爆炸出一點小響聲，
（炸開了
一朵預感的花）

人的臉
更加嚴肅，
夜，
更加冷靜。
「戰爭，
一時一個消息，
他要送我們走的吧？
走，眞也是時候了，
走，我們已經走在別人的後頭。」
老太太
自已在心裏說話。
樹恒，他推想，
這回事實逼着父親
也許放他回上海——
放一條魚回到大洋。
「父親的時間，
還有他的心，
很少從公家的事情上，
分給我們，
今夜晚，這個團聚
太不平常，
彷彿覺得不會再有第二次，
深深的留戀裏夾着一點怕，
縱然沉默也是可愛的……」
四顆兒女心
約好了的一樣，
都這麼感覺着，
這麼想。
最小的一個女孩子
她還不會想，
用畏怯怯的眼光
掃一下父親的臉，
掃一下母親的臉，
最後，又轉到了
姐姐哥哥的臉上。
今晚上，

沒有一個表情是慈祥，
今晚上，
沒有一個臉頰上
沒有霜，
她的眼波像春風，
春風
却是吹到了冰上。
「今夜，
算是最後的團圓，
明天我要送你們走，
樹恒，樹瑩，樹琨，樹婉……」
一個老將在點子弟兵，
一個頭
向他抬起來了，
又一個頭
向他抬起來了，
他們，是在用心
給他打立正。

「我要把你們送走，
不是去上海，
也不是香港，
是另外一個遙遠的地方，
這回，可不是去逃難，
是送你們去學習，
那裏有許多人，
從海外來的僑胞，
從各處流過去的學生，
那個地方，
一定很新鮮，
很不平凡。
那一個團結，
才能剝去你們少爺的心，
　　　　姑娘的皮，
那裏可以
教給你們怎樣戰鬥，
把你們心裏

填上些新的東西。
去吧，
忘下我
記住敵人！
去吧，
丟開家，
記住民族！
今夜晚
你們還是我的孩子，
「明天，
你們去做國家的兒女……」
老麻太眼裏的淚
一滴緊追着一滴，
沒有一個人
敢把臉仰起來，
無聲的淚
滴在無底的秋夜的海裏……

7　矛盾的箭頭在他心上
亂穿

戰爭
一步步往山裏侵，
空氣
緊張得要浮起來飛，
恐怖
是最容易滋生的種籽，
在人心上
以驚人的速度繁殖。
無數的人
患着沉重的「恐日病」，
彷彿日本兵
隨時可以從地裏冒生！
人人苦心的
盤算着怎樣逃難，

想念着·
那個偏僻的地方
有自己的親朋；
范築先，
他也在盤算：
盤算着……
怎樣把他的保安隊
改編成抗日的游擊隊，
怎樣招來流亡的知識青年
叫他們做民衆的
　　　　發啓人，
　　　　領導人，
做軍隊的靈魂；
他不愁沒有兵，
遍地全是可用的老百姓，
他也不覺得自己是孤軍，
他知道，
和他同樣想法的人
一定有千千萬萬！
他決定用這條老命
來支持西北的半個天，
他坐在他的椅子上，
右手，
撫着半禿的頭，
眼，
呆了一樣的朝前望，
（像遙望他的未來）
千端萬緒的思想
默默地
在苦結一個計劃的網。
電話鈴
緊急的叫人，
聲音告訴他
誰在對他講話，
習慣發下命令，
他的脚「立正」在地下。

話很簡單：
「撤過黃河來，
　帶領各縣縣長，
　至晚不得過五天！」
放下了耳機，
他的腿打顫；
心也打顫，
他方寸的心上
矛盾的箭頭往來的亂穿！
他把右拳握起來
掄了幾掄，
有個人給他打一頓
才稱心！
怒火
燒他的瘦臉，
瘋狂
在他眼光裏轉，
在地上打了幾個圈圈子，

他又拾起了電話的耳機，
要了幾個縣長，
和四區的專員，
說完了話，
叫身子落進椅圈，
這時抓緊他的
換了一種要哭的情感。
第二天下午
約摸三點鐘的時辰，
一部照出人影的汽車
點綴着專署的大門，
幾匹馬
用前蹄敲着大地，
示威的吼叫着
想掙斷頸上的繩索。
會議廳裏
忙開會議，
幾個人、

對擺着一條長的桌子，
深藍的桌布
同人臉一樣的嚴肅，
每個胸窩裏的心
比牆上的大掛鐘擺得還急促。
范築先
站在主席的地位，
臉向東邊，
眼睛正對着一幅橫聯——
岳飛的「還我河山」！
趙專員，
民衆的血
潤紅了他的臉，
他最先起來發言——
平地裏
聳立起半座肉山。
「幾十萬大軍
阻不住敵人，
我們憑什麼
去阻擋他們？
試問我們能够
去捏敵人的飛機
像捏蜻蜓的翅子？
捉敵人的坦克
像用鋼叉去叉烏龜？」
主席的命令[illegible]？」
「一定要遵從，
命令[illegible]
就是軍人的魂靈！」
點了兩下腦瓜
坐下了，
他用眼睛，
向大家臉上去找同情。
「我擁護趙專員的意見！」
汪縣長
眼睛裏流出媚諂？

話浪衝出口來
把他的老鼠鬍子一掀。
「這可不是鬧兒戲，
這是關係生死的國家大事！
主席叫我們退，
一定有個退的道理，
也許是一個戰略，
誰敢說？
我們的行動，
生命，
全個包羅在
戰略的網中。
說不定
這是「以退為進」，
「誘敵深入」，
然後來一個大反攻，
大殲滅，
叫東洋鬼子的肉，
來餵中國黃河的魚。
我這並不是說笑話，
歷史上寫着先例：
肥水之戰所以致勝，
還不是全在「半渡而擊之」？……
「你說，
軍人的天職
是服從，
我也可以說
將在外，
君命有所不受！」
誰知我們的「青天」主席，
到底打了個什麼主意？
日本飛機到濟南
不丟炸彈，
卻丟下
什麼文件一大批，
（蒞槃先用冷眼睇他，

蘇縣長却故意避開）
敵人到了山東境，
大貼標語擁護韓主席，
試問問，
這到底是玩的什麼鬼把戲？
我誓死擁護范專員，
擁護他留在這裏打游擊……」
范築先用手勢
打斷了他的話，
因為鄭縣長
搶着立起了身子。
「我也反對退！
退到濟南就保險？
用退却去找安全，
安全就變做危險；
用生命去撞危險，
危險也就化成安全，
到了這步田地

誰主張退却，
誰就是漢奸」！
鄭縣長坐下了，
粗氣還在吁吁的喘，
他話頭的針尖
刺痛了幾顆人心，
刺破了幾張人臉。
范築先，
臉上的表情很苦澀，
心裏的情緒很紛亂，
有些話他不願意聽，
有些話分量又太重。
「這是在開會，
不是在臨陣！
意氣和眞理從來不兩立，
冷嘲或熱罵
決不能折服人！
「兩國交兵，

黃河爲界，」
主席叫我們退，
一番好意，
一片苦心，
到了想退不得退的時間，
那眞叫是「悔之已晚」！」
趙專員一下站起來，
接着汪縣長發言：
「韓主席是我們的恩人，
　我們的天！
沒有他，
沒有我趙仁泉，
也沒有你范築先，
誰的良心不是肉長，
誰會反叛
二十年來的老長官？」
范築先的臉色
一刻一刻在變，
從黃變紅，
從紅又變白。
辯論無法
歸結個下場，
這邊還針尖，
那邊是麥芒。
正在這時間，
送到一封十萬火急的電，
主席的嚴命：
「即刻撤過黃河，
　限五天到達濟南！」
范築先
把電文宣讀了一遍，
彼此默默的
交換着眼光
變換着臉。
「好，走就走吧，
　到黃河邊上再看……」

主席作了折中的結論，
這場會議才不歡而散。

8　身子向東北，心留在西南。

專署門前的曠場上，
大土車，小土車，
用不同的姿勢
奮勇的互相排擠着，
騾子，馬子，老黃牛，
和小毛驢子，
蠕着，叫着，踢着，
合奏着交響樂，
以驚奇的眼光
彼此交換着歡喜。
趕車的人，
推車的人，
趕在季候的前頭—
穿上了冬天的短襖，
在秋陽的紅光裏，
在西風的勁翅下，
奔忙着——
自己空着肚子
去伺候他的牲口
吃喝，
有的蹲在地上—
看自己的老牛吐沫……。
這些車馬，
這些駕駛車馬的人，
是從城郊徵發了來的，
是從幾十里以外徵發了來的，
是從各縣徵發了來的。
他們被徵發了來，
不是為輸送彈藥
到前方去的；

他們被徵發了來，
不是爲輸送輜重
到火線上去的。
他們被徵發了來
是爲了把官員
送到安全地方去的，
是爲了把公物私物
送到安全地方去的，
是爲了把整個第六區專員公署
送到黃河岸上去的。
出發了——
車子幾百輛，
鐵輪子
響動了大地，
鐵輪子
響動了人心，
桌子，
椅子，……

把車子裝成
一座活動的山，
它們，
在繩索裏掙扎着，
有的四隻腳朝天，
高興的舞動着，
好像對被搬下的人民
驕傲的說：
「我們走了，
　我們走了。」
老婆，孩子……
裹在被子裏，
擠成一個圓蛋，
要把油都擠出來，
但風塵
也拂不掉臉上的光彩：
「我們可走了！
　我們可走了！」

他們
得意的望着
街筒子兩邊
那人的牆壁。
大隊出了南門，
向東南一扯七八里，
一營兵
鑲在前邊後邊，
一身武裝——
什麼都齊全。
公務員，
有的說笑着
脚步那麼輕快，
有的低着頭，
步子和思想
有同樣的分兩。
范專員，
讓大家走在先，

他推着一輛自行車，
五個衛兵
綴在後邊。
他的白髮上
吹滿了秋風，
他的灰布軍服上
吹滿了秋風，
他的臉上
吹滿了秋風，
他的心上
吹滿了秋風。
升旗的高桿子，
立在半空裏
在用空虛的眼
望他；
專員公署的瓦房
在用留戀的眼
望他；

男男女女的老百姓，
手指劃着，
在用驚奇的眼
望他。
像散佈
謠言的擴音機，
這大隊
在「前進」着，
像散佈
令人絕望的悲哀一樣，
這大隊
在前進着。
它招來了
沿途老百姓們的
注意，
它招來了
恐怖和歎息……
范專員，

良心的鞭子
在抽打他，
悔恨的烈火
在焚燒他，
他把頭
深深的垂了，
他不敢正眼
對着他的子民！
他們爲他
榨盡了自己的心血
[illegible]和汗滴，
沒一句怨言，
他們那樣可愛，
[illegible]那樣良善！
他曾經，
以父母的心
撫愛過他們，
他曾立誓，

以任何犧牲做代價
去替他們換一份幸福，
今天，
大難臨頭了，：
自己先走開，
帶起他的官員，
　他的兵，
　他的眷屬。
他抖自己的行動
打碎了
用至誠在民心上
建立起來的信仰，
推翻了
昨天的誓言，
拆斷了
不容易締造的
心同心間的橋梁。
他覺得，

他的臉子
在民衆的眼裏
變了樣，
他覺得，
百姓投給他
質問的眼光：
「誰的脂膏
　養肥了你？
　走就走好了，
昨天的大氣，
何必吹得那麼響？」
他覺得，
他部下的眼裏
有嘲諷：
「，當日駡我們請假，
　看你今天又是怎樣？」
他覺得，

衛隊的眼裏
有憤怒：
「我們是國家的隊伍，
　緊急的關頭
　不去迎敵，
　卻走上
　相反的路！」
他覺得，
敵人在向他辱罵：
「膽風子」穩穩」逃
　再跑也不晚？
　你這沒有骨頭的傢伙！」
他覺得，
自己的心
也在向他抗議：
「笑別人逃離，
　罵人家捨家眷，
　你不過
　比別人晚逃幾天！」
心裏，
抽不斷頭的亂絲
隨着車輪子轉，
薄薄的一片煙塵，
像輕紗，
把他和他的百姓
隔斷。
雨水
讓出來的田地，
像棄婦的心，
縱橫的裂開
絕望的愁紋，
高粱桿
搖着孤苦的身子
向西風
訴說自己的命運。
大隊到了運河邊，

排列在沿岸，
彷彿這支兵馬
決心同敵人背水一戰！
一部分船隻
鎗彈把它叫過來，
有不少
樹葉似的飄逐，
船上的太公們，
他許在發一個誓願：
「由我們的船
決不渡逃亡的官員！」
開船渡河了，
木槳
把夕陽碎在河面，
嘩嘩
濺起水浪翻轉；
范築先
立在船頭上，
望着自己
動搖的身影，
河裏的波濤
起伏在他的心間。
記憶，
河水一樣長，
情感
河水一樣洶湧，
雙脚踏上了對岸，
范築先，
他用兩滴老淚
辭別聊城。

9 他聆悟了黃河說給他的一句話

范築先，他獨個，
立在齊河的城頭上

望黃河。
望落輝裏
那撼人心魂的蒼茫，
像一個
偉大的精靈
直奔東海，
勇敢，
驕傲，
倔強！
他流走了
千萬年的時光，
而他的生命力，
卻比千萬年前
更活躍，
更雄壯！
山岩，沙漠……
擋不住他的去路，
他用無敵的威力
向一切阻礙掃蕩。
范築先——
這大河的驚浪
在鼓動他的胸膛；
范築先——
這偉大的巨靈，
投到了他的身上，
他聆悟了
一句話，
他，彷彿化成了
黃河的一個波浪。
晚上，
他睡了窄長的房，
韓主席的訓辭，
倨傲的
霸佔了半個牆壁，
睡不着，
他也不讓燈休息，

衣扣也不解，
挺在牀上，
勉強叫眼皮
包住眼光。
一個痛苦的感覺
爬到了他心上：
他覺得自己生命的樹
連根被拔出來，
移植在
這樣一塊僵冷的土壤……
韓主席的巨影
孤高的站立在
他的心頭，
千百萬老百姓
向他伸出鐵拳，
他的胸懷
作了戰場，
爲了爭奪他

雙方進行着猛烈的爭奪戰。
最後，
他咬緊了牙齦——
咬住了一個決心！
急忙的去抓電話機子，
一陣暴風——
他翻起了身。
「主席，
我決心留在黃河北岸！」
「什麼!?
幾十萬大軍
紛紛南渡，[illegible]弟兄……」
你一手[illegible]、
能擎起西北的天!?」
「我決定回聊城，
那裏有我的老百姓，
我要守住我的防地，
不然，我就爲他死！」

斬釘截鐵的話
完了，
猛一下
把耳機扔給了桌子。
第二天一大早，
他給他的部下訓話，
劈頭，他就用話頭的刀尖
批判了自家；
每一句話
噴出眞情的熱流，
全力的血，
倒瀉在他的雙頰。
「不到黃河心不死；
　到了黃河我却心痛！
今天我要轉回聊城，
我捨不開我的民衆！
不把今天的話做命令
強迫你們服從，
因爲，我已經拒絕了
我的上峯！
願意投安全的
河邊的船隻
　在等候你們；
　願意跟我幹的，
我們要結成生死的弟兄……」
他的話一落脚，
一片嘈雜
泛起人海中，
紛紛商量着去留，
各人忙亂着
尋找自己的親屬。
最後，南渡的
上了船，
回頭的上了車，
兩個心，

兩個陣容，
背向着背，
各奔向自己的前程。

10 他回到民衆這邊來了

他回來了——
(帶了一顆懺悔的心，
雄壯的心，
回來了。
他回來了——
帶着忠實于他
忠實于國家的隊伍
回來了。
渡河的，
讓他們早點滾開吧，
一些不爲了個人的安全
而爲了民族安全的他的同志們
帶着戰鬥的精

回來了。
牛，
以健壯的步子
拖着車子跑，
馬蹄子。
也放開了
快活的浪頭。
大地，
裂開笑口
歡迎莊事員：
「你回來了，
你回來了。」
秋樹，
用枯手
向他親熱的招呼：
「你回來了，
你回來了。」

一切都在興高彩烈的
喊呼着：
「你回來了，
你回來了。」
范專員，
這回他走在
大隊的前邊，
他的自行車
輕快的轉着，
（和他的心一樣的輕快）
他擺着
用他的面孔，他的心，
向老百姓報告：
「你們看，
范築先回來了，
范築先回來了，
回到了你們這一邊。」
老百姓，
用笑着的眼睛
歡迎他，
用笑着的臉子
歡迎他，「。」
用笑着的心
歡迎他：
用燃燒着感情的
[illegible]、響不斷頭的
[illegible]。火鞭
[illegible]」
歡迎他。
老百姓的心裏說着：
「他說過，」
他是不會撇掉我們的，
你看他到底回來了，

歸來了，回到
我們身邊來了。」

聊城的民衆，
以比佛的大隊
更長的隊伍，
列在南門外，
歡迎他；
用掌聲，
用擁抱，
用歡呼，
歡迎他。
男人們
望着他；
老太婆們
說着他；
小孩子們
指着他。

他們真想
把他擁抱起來
擲到天上去，
再叫他下來，
落到用數不過來的手臂
編成的網裏；
「范築先是我們的！
范築先是我們的！
范築先是我們的！」
然後把他緊緊擁抱，
心靠心，
身子靠身子。
標語，
以各種的姿態，
各種的顏色，
各種的語調，
站在牆上歡迎他，
歡迎：

「領導民衆抗日的范專員！」
歡迎：
「民衆的救星——范專員！」
歡迎：
「建立魯北游擊根據地的范專員。」
范築先，
望着他的專署
笑了
望着升旗的高桿
笑了
望着他的民衆
笑了。
他回來了，
他一條身子
充實了
聊城，
充實了
整個魯西北，
充實了
千千萬萬的人心。

11　他是人民的太陽

敵人突入了
山東的邊境，
衝破了
高聳着兵工廠煙筒的
魯西北門戶——
德州城。
這門戶
一拍就開了，
韓主席的大兵
不是在打仗，
是在敷衍抗戰，
應付敵人。
[illegible]

到濟南，
不是去投彈
是去投信包，
投宣言，
是從半空裏
向韓主席去投媚眼。
高射炮
爲了蒙騙人眼
發出的子彈，
老遠老遠的
用一團白煙
逗着飛機好玩。
德州的大街上，
擁護韓主席的標語
到處碰眼，
用政治：
攻他的心；
用炮彈
攻他的胆，
「韓青天」潮退的大軍，
把敵人
引到了黃河北岸，
十二月二十五正午十二點，
一聲震裂人心的巨響，
五千萬身價的黃河鐵橋
屍身碎成千段萬段，
（他幻想，
日本兵不會撕破情面，
雙方彼此相安，
『互不侵犯』，
叫黃河
做一條天然的界線。）
整個的魯西北
被遺棄了，
幾十個縣

被擲在黃河那邊。
幾百萬人民頭上
蔭覆着的：
政治的，
武力的，
法律的涼蔭，
揭去了，
幾百萬顆心
在烈日的威嚴下
烤炙着，
焦燥着，
像一顆孩子
失去了母親。
范築先，
在聊城城頭上
插一支抗日大旗：
「良心抗戰」，
「守土抗戰」，
「責任抗戰」。（註二）
它，
號召着
人民；
它，
鞭撻着
暴日鋒銳的心。
他是人民的
太陽
他是人民的
月亮，
他是人民的
燈塔，
他是人民的
火把。
他以他的心
照耀，
他以他的口

喊叫，
他以他的血誠
激動，
他以他的感情
燃燒。
流亡的學生
向他走來了，
勇敢的青年人
向他走來了，
和他同樣年齡的老頭子向他走來了，
婦女兒童們
向他走來了，
一切有血性，
　有良心的人們，
全都向他走來了。
他用父親的心
去迎接他們，
他用母親的心
去迎接他們，
他用戰鬥的心
去迎接他們。
他在笑着，
他在忙着，
工作糾纏着他，
從白到黑，
從黑到白。

12 每個人心裏燒着一堆火

大禮堂的門
把十二月陰冷的夜
關在外邊了。
屋子裏是溫暖的。
一大堆燃燒着的木柴
發着熱，

發着光，
也發散着原始味的煙子。
人，一個圓圈
套一個圓圈的
圍着火。
把長凳子
掀倒在地下，
叫它四隻腿朝天，
坐在它的胸口上。
擠二三百青年人，
　　壯年人，
　　老年人，
分不清誰是主人，
　　誰是客，
他們，
彼此交流着眼淚，
心和心間的那一道間隔，
已經叫火焚化。

大家的眼向着一個目標，
看，火的舌頭
舐紅了他們的臉，
舐紅了他們的心，
大家的情感
像水銀團，
在一個更大的胸心裏
溶溶的洋溢。
有的從北平流亡出來的——
踏着辛苦的道路
　　艱險的道路，
　　死的道路。
路，磨碎了多少雙鞋底
路，把人磨得更硬了。
陌生的長途，
海上的駭浪，
人們可怕的白眼，……
終於把他們送到這邊來了。

敵人再狡猾些，
終於把他們的「敵人」
放走了，
放到對他們作戰的崗位上來了，
放到他們精神的老家——
魯西北抗日的「母親地」來了，
他們和冬天
一同從北方起身，
可是身上
還沒有穿上冬天的衣裳！
冰冷的人心，
冰冷的人眼，
冰冷的天氣，
使得他們感覺眼前的這堆火
更加可愛，
更加溫暖。
有的從濟南投奔過來的，
他們把不安的路子
讓給需要不安的人走上去了，
他們却背向着濟南，
偷渡過黃河，
一步一步向着戰鬥的
　　危險的圈子
踏過來了。
有的是以黯然的，
　　悵恨的心情，
勉強隨着范專員到黃河岸上去，
而以輕快的
　　興奮的心情
隨着他轉回來的。
這個人羣，
各人有一個謎的境遇，
各人有一個不平凡的故事，
（留在幾十年後，
在和平自由的空氣裏，
在同樣的火光下，

捋着長鬚，
作爲一個歷史上的血的故事，
說給他們的兒孫吧）
然而大家的心
却在向着一個東西，
好似眼睛一齊向着火。
添柴呀，
讓火燒得再紅些，
　再烈些，
　再響些吧！
范築先
一個白髮的青年，
同樹民，他的兒子一樣的
活躍着，歡笑着，
大家是一團和氣的家人，
但不是父子，却是親愛的兄弟。
不管你昨天是幹什麼的，
「不管你昨天的心是怎樣想，
今天來到這邊，
我們就是好朋友，好同志，
韓主席走了，
可是，我們的政府是抗戰的，
　我們的隊伍是抗戰的，
　我們的民衆是抗戰的，
　我們是抗戰的！
我沒有用墨水
寫在紅綠的紙上
來歡迎你們，
因爲我找不到
更恰切的字句，
讓我們彼此用一顆血的心
　鐵的心
來互相親熱的碰一下，
讓它碰出火花來——
歡笑的花，
戰鬥的花，

和眼前紅火一樣的花。
今夜晚我們團聚在這裏，
「但是，我們卻不是
只配在溫暖空氣裏蟄伏的靈魂，
不是的，爲了要分散開去，
才覺得這團聚有更深的意味。
明天，我的同志，
　　我的孩子，
分散到城市裏去，
　　鄉村裏去，
靈魂一樣，
打進農民們
　　婦女們
　　　工人們的團體裏去。
同今晚一樣，
圍着火
用你們的熱情
把他們燃燒起來，
用你們的呼聲
把他們叫醒過來，……」
用你們的手和意志
把他們組織起來！」
范築先生的鬍子
被火染紅了，
他的話也像
從火裏才抓出來！
火，
更旺了，
更紅了，
更響了。
張郁光
站起來了，
巨人一樣在火光裏
站起來了。
如果說，這一羣青年
是民衆的靈魂，

如果說，范築先
是這一羣青年的靈魂，
那麼，這樣說也不算過分
張郁光，
他便是這靈魂的靈魂。
他不是以吃過洋麵包的
留學生的姿態站立起來的，
他不是以高價出賣講義篇子的
大學教授的身份站立起來的，
不是的，
他是以一個久經戰鬥的戰鬥員的姿態
站立起來的！
他是一顆「啓蒙」的明星，
他是一個爲大多數人呼號着
爭鬥着的戰士！
日本人
記念着他，
多烘的頭顱

記念着他，
一切敵人
都不會把他忘下！
他，
並沒有說更多的話：
「叫行動替我們
說出眞理的名子吧！」
一位年青的同志
站起來了，
他說：「我們唱個歌子笑笑吧，
這是我們歌唱的時代
笑的時代！」
「抱着敵人的老婆
前進，
前進，
前進……」

真的，大家都笑了，
笑他的可笑的樣子，
看他的手在舞着，笑着，
他的臉在笑着
火也在笑着。
「立起！
大家來一個大合唱！」
人，全站立起來了，
板凳
在地上舒一口大氣。
「起來，不願做奴隸的人們！
……………………」
聲音把牆壁
都震響了，
聲音把火頭
都震響了，
聲音把冬夜
都震響了。
「看，他在流眼淚，
他也是，你也是。」
是的，眼淚，
眼淚，
不是爲悲傷流下來的，
眼淚，
是叫興奮，
　歡喜，
誘引出來的。
夜深了，
人散去了，
每個心窩裏
燒着一堆火。

13 開場仗，他佔了上風。

敵人的耳朵
真長，

抗日根據地
剛在心上畫個圖樣，
他的騎兵，步兵，
從堂邑，
從臨清，
從高堂，
向聊城包圍過來，
撒了一張三面的網。
參謀長王金祥，
作了空城裏的諸葛亮，
把整個的兵力——一排人，
分佈到城牆上。
范司令，
帶着少年營兵
迎頭先下手，
急行軍
趕去堂邑，
去趕
一個上風。
馬隊
接近了西大堤，
給城牆上的戰士
一個射擊的標的。
水，
是伏在城下的伏兵，
它迫使敵人
不得不把馬頭撥回。
他放下了我們，
我們却不放他，
他輕易的來，
却不讓他輕易的還。
范司令
從堂邑轉回頭，
叫十九個兵做主體，
其餘的做兩翼，
他把他的兵

佈成一個陷阱。
敵人輕慢的到了跟前，
兵從地裏湧出，
當頭就是狠狠的一棒，
這還有什麼客氣可講。
馬子，
在皮鞭的抽打下，
在槍彈的嘯叫下，
撒開了蹄子；
俯下頭做了俘虜，
那沒有跑脫的十八匹。
范司令
騎上了大洋馬，
官長們
騎上大洋馬，
載着勝利，
載着歡欣，
炫耀在鄉村，
炫耀在全城，
叫每一雙眼睛看一下：
「這就是『皇軍』的威風」。
開場仗
挫了敵人的鋒芒，
治好了
人心的「恐日病」，
自信力
旺盛的生長。
他打走了日本兵，
另外一支隊伍
又迫近了聊城，
他們是中國人，
穿着一個顏色的軍服，
手裏有更好的槍筒，
他們是來不及渡河的大隊，
截留在這邊
成了無王的蜂。

走到那裏；
吃到那裏，
像一羣
游牧的流民，
沒有目的，
沒有聯系，
像黑夜裏走路，
失掉了南針。
（找不到去路——
　他們的精神！）
他們
想把聊城佔據，
但，馬上[illegible]現了
聊城
有比他們更多的隊伍，
一個恐佈
爬上每一顆心：
「人家是大魚，
　自家是小魚」。
他們開始朝東撤退，
這邊的兵在後邊追，
先後到了運河岸上，
彼此一槍也沒有放。
（槍口，
　不准它再對着自家的胸膛！）
一條小舢板
把范司令擺到了對岸，
對岸駐紮着他們的上峯——
營長劉耀庭。
不過半響的時間
范司令回來了，
同來的不只他一個，
還有劉營長
和幾百個弟兄。
他兩個談笑着，
老朋友一樣的熱氣，

眞誠
是攻心的最好利器。
大渡船往返的
把他們划了這一邊，
兩條心
絞成了一股，
兩股人
團結成一個，
在抗日的大旗底下，
范司令，
他有了兩營兵。

14 他的快馬終天在轉動

范司令，
自行車就是他的快馬，
好像一停下來
怕它要生病，
他沒有一天不叫它苦叫，
他的心
也沒有一天不在緊張裏跳動！
那裏危險
他往那裏鑽，
那裏需要他
他走向那邊，
他是一顆將星，
一顆福星，
光輝照耀的地方
兇險常常化成平安。
南鎮，
做了
高堂，茌平，博平的中樞，
敵人來拿它，
覺得像躬腰抓一把土！
自大磨出他的銳氣：
『不論什麼地方，
只要我要，

你就得給！」
情報是一張挑戰的口，
罵得范司令
火冒心頭！
指定了地點，
發出了隊伍，
是緊追着他們，
小隊自行車，
又緊追在他的後邊。
灰布大衣
已經到了暮年，
塵垢油膩
掩埋了它青春的臉，
夜晚當被子
　　做枕頭，
也當雨衣
在風雪天，
看它像自行車的單翅
在冷風裏飛驅，
它的主人，
口裏吁出的熱氣
結成冰珠，
掛在他的鬚梢。
可是，他皮上有汗，
　　帽下有汗，
他身子裏是炎夏，
身子外是冬天。
他趕到了他要趕到的地點，
花平民軍
前敵人已經打了一夜兩天，
一夜兩天，
僅僅給了他一點小便宜，
讓出了七里地兩個村子。
范司令
在徐家河口紮營，
這個土寨子

保護着四十戶人家，
東西兩面開兩個大門，
像一個人長着前後眼睛。
民軍的司令——
蕭及紅，
來向他報告，
自行車馱着他
一身的累倦，
臉上凸瞪着
幾夜沒合的紅眼。
范司令請他
吃犒勞的飯，
老鹹菜，
粗麵餅，
白開水，
官長士兵
一個人有一份。
『敵人離十幾里了，』
他鎮定的坐在凳上：
『離五六里了，』
他點了點頭表示「知道」，
第三次的報告
聲音還在耳，
敵兵
已經包圍了寨子。
蕭司令
衝出了西門，
子彈
穿破了他的車帶，
范司令
爬上東寨牆
指揮着弟兄，
他自已
做了機關槍手，
彈子的暴雨
從半天澆下去，

敵人一個一個的
栽倒了，
血在地上
下了一場紅雨。
衝出重圍，
衝過了大堤，
敵人退了，
一百二十具屍體
做了死神的俘虜。
第二天，
他到四個殉難民軍的家庭裏
去慰問，
他用卹金，
用一顆血心，
他的悲傷
沒摻半點假，
感動得當事人
轉過來安慰他。

他又跑到死者的墓地
去痛灑老淚，
死者不像是別家的孩子，
像是他的親人。
第三天晚上
他回到自己的房裏
聽收音機，
敵人在這麼廣播：
『皇軍占領平津以後，
南鎮一役，
是中國老百姓
參加作戰的第一次！』

15 他征服了一顆黑心

欒省三——
他的兇惡
播大着他的聲名，
堂邑，加上更遠的地方，

老百姓一提到他，
就像黑夜裏
對小孩子講吃人的妖精，
命運牽着他的手
作了滔滔的罪孽，
他把別人的財物
塗上了自己的眼，
別人，
卻用從他手下流出的鮮血
把仇恨寫在心上。
綽號三，
很少的人這樣喊他，
架秧子
這混名又大又響亮。
他有三千支槍筒，
他有同樣數目的一桿弟兄，
上帝加給他們的罪孽，
比他們親手製造的更多。

架秧子，
才活了三十幾歲，
在「黑道」上
就走了二十幾年，
黑夜是他們的白天，
大地是他們的牀板，
樹林子是他們的帳幕，
槍同生命
是他們支持生活的工具。
說了二十年的黑話，
放了二十年的火，
殺，被殺，
變成了全無意義，
像看過了無數遍的
一齣老戲。
抗戰了，
他們也喊着打日本，
做一面旗，寫上幾個字：

『東北抗日自衛軍。』
不讓一口刀
閑睡，
不叫一支槍
沈默，
不叫一個意志
找不到歸宿，
在民族戰爭臉前，
讓每顆良心
有個懺悔的機會。
范築先，
他送信給梁省三，
請在約定的時間候他，
他有話要當面來談。
他騎上他的「快馬」，
他一個人
去會這位活閻王，
坦然得像回家一樣。

自行車在他的扶持下
像一個漫遊，
口裏喘粗氣，
額下冒熱氣，
脚步稍一停，
冷風給皮肉貼一層冰。
他望見，
眼前的土堤上
長着一列頭，
長着一列槍，
頭上的眼，
槍上的眼，
緊緊對住了他的身上，
他的臉。
『我是范築先！
你們是幹什麼的？』
把明白翻成了糊塗的問，
他對大家介紹了自己。

他氣壯的喊聲
像一道集合的命令，
大家急忙爬起來，
列成隊形向他「立正」！
『我們是欒司令派來的隊伍，
在這裏歡迎范司令！』
用假話去隱埋眞情，
因爲范司令
他沒有帶一個兵。
（他只帶了一張嘴
一顆心來）
欒省三
接出大門來，
臉上帶着測不透的笑，
范築先，
他也陪着笑，
他笑得那麼親切，
那麼自然。

永遠走着兩條「路綫」，
他兩個
應該是越走越遠，
他兩個
怎麼能夠碰面？
一個是白晝，
一個是黑天。
時代的呼聲
把他們叫到了一起，
彼此可以
碰一下心，
照一下肝胆。
欒司令的營門
像一座鬼門關，
門口那麼多的崗兵，
眼睛瞪得多麼大，
槍翅子那麼叫人心戰！
衛兵像秋天的樹

長滿了庭院，
短槍在手，
手指扣在機頭，
還像是在迎接一位嘉賓？
還是在試驗一顆良心！
什麼都沒有看見的一樣，
范司令大步踏進了廳房，
一臉兒氣的兵，
一臉兒氣的槍，
進來又出去，
出去又進來，
在焦灼中等候：
一個眼色，
一個手勢，
一個音響。
一盞鴉片煙燈
照着兩個臉：
一個油滋滋的放紅光，
一個鬍鬚在上邊蔓延。
講義氣，
套交情，
談買賣，
決死生，
那一次
缺少了這神祕的小燈？
主人把「煙槍」強塞給客人，
然後自已再接過來，
他們交換着槍口
像交換着心。
噴一口雲霧——
一陣煙，
藥省三的臉色
在雲霧裏變幻，
他半生的日子
飄忽得
像眼前的雲煙。

『你要走一生的「黑道」呢，
還是想做「頂天立地的好漢?
這是最後也是最好的時機，
叫你剝去舊皮，改頭換面！』

范築先立起來
用火樣的話頭
去敲主人：
欒省三，
他也立起了身子——
立起了一個決心，
幾句話，
折服了他，
臉子，
另換了一副，
他的手
摸著胸口，
像要對着客人
掏出他的良心。
范築先的話，
還有他的白髮，
像正午的陽光，
把一個汚黑的靈魂照亮。
欒省三，
斥退了他的衛兵，
擺上了盛宴一棹，
三杯酒，
露出了
他天性的芒角，
三杯酒，
把他的臉子
燒得更紅。
「老頭子，
范司令，
你是我的父親，
你是我的北斗星，

從今天起：
你叫我死，
我不敢活，
你叫我向西，
我不敢向東！』
挺直了身子
把一杯酒潑在地下，
他說：『吃罷了飯
我請你點兵。』

16 勝利在堂邑開了第一朵花

像刮去一塊爛肉，
把那個聖丐的故鄉——
堂邑的敵人刮掉了。

像從虎口裏
掏出肉來一樣，
范司令的手
把這一片遼濶聊城大平原
從日本兵口裏
掏了出來。
他，
收復的不僅是一個據點，
他，
燦爛的開放了
勝利的花，
他收復了
那麼多的人心，
還收穫，
簡直無法用數字來估價。
老百姓，
用自己的心
發動了一個歡迎會，

來歡迎他，
沒有誰
敲起破鑼，
鼓起破鑔子，
挨門去叫喊：
什麼時間，
什麼地點，
一定要一保出幾個人
義務的去站場壯觀。
勝利的號筒
吹動了每一顆心，
快樂
推動了每一個身子，
看，
像正午朝王的蜂子，
成千上萬的人
嗡嗡的從城門洞裏
飛了出來。

每一個家
都是空了的，
（留一把鐵鎖守門）
每一條巷子
都是空了的，
整個的城心
都是空了的。
「歡迎范司令！」
「歡迎范司令！」
年老的
年青的
扶着拐杖，
跪在頭前，
母親抱着孩子，
老太婆們可憐的小脚
挪動着身子
一擺挪動着泰山。
有的用汚黑的布塊

包幾個鷄蛋，
（她想范司令
他許打仗打得餓了，
他需要
吃幾個鷄蛋）
鷄蛋
被人擠碎了，
黃的白的，
從手巾裏往下滴。
「你們發瘋了嗎？
你們瞎了眼睛？
你們擠碎了我的鷄蛋。
你們這壞種，
我要把它
去送給范司令！」
誰也不聽她，
擠着，

笑着，
跑着，
風是冷的，
衣裳是單薄的，
大家身子擠攏着，
心，很溫暖。
范司令
來了，
范司令踏着勝利的路子
來了，
范司令
帶着他的隊伍
來了。
人，像水一樣
向兩邊分開，
懂事的人們
偷偷的用手指着他：
「啊，這個老頭子

就是范司令。」
老太婆們
失望的發急的嚷着問：
「那個是范司令？
那個是范司令？」
沒有人回答她，
大家的眼，
大家的心，
注射着隊伍，
不放鬆每一張臉。
范司令
走進了「凱旋門」，
同着他的弟兄，
人，轉過身子
倒流，
擁着他，
追着他，
把一個廣大的場子
注成一個海。
這些老百姓，
他們認識這些隊伍，
他們，
有的曾經在他們的房子上放過火，
有的搶過他們的財物，
有的把他們的人綁了去，
要很高的身價去贖……
他們是老百姓的仇人，
　是這一帶的禍根；
可是，在今天，
大家的心
却靠得這麼近！
他們的手
把他們全個財產
從更大的敵人手裏
奪回來了，
他們，

把他們的生命
從日本兵手裏
奪回的了，
他們，
把他們祖宗的墳，
把他們的臉，
從日本人的侮辱裏，
奪回來了。
他們，
變成了好兄弟，
邊的當子
生在彼此的心地。
范司令
立在台子上，
沒有一雙巴掌做嚮導，
但，歡躍的心
激動了無數的手掌
鼓出雷樣的響聲。

這響聲
彷彿在高呼：
『歡迎范司令！
歡迎范司令！』
『這樣的年紀，
看那一把鬍鬚！』
現在，
人人認清了他，
人人這樣感歎，
　這麼想。
他的蒼白的長鬚
在北風你飛，
他的火灼的臉色
在北風裏飛，
他的話被緊張的心紋
一彈出口，
像疾飛的鳥
棲到了

人心的窩巢。
『日本兵
有什麼可怕？
他也是一個人，
你們看見過的，
一槍放倒，
流一攤血，化一堆泥，
他們沒有長着
三個頭六隻眼，
他們比中國人更矮，更小，
一點也沒有胆……』
（人人的心在抬頭）
『可怕的不是日本人，』
可怕的是自己不認識自己，
勝利，今天在你們眼前，
勝利，不是我范築先的功績，
是大家齊手齊心造成的，
是大家愛國愛家
仇恨敵人的心造成的，
勝利的不是我一個人，
是千千萬萬姊妹兄弟……』
你望着我，
我望着他，
用眼光
送給別人，
勝利的光榮
誰也不敢把它受下。
「這是鮮血開出來的
第一朵勝利的花，
我們要它
開到運河兩岸，
開過黃河北岸，
把整個魯北開遍。』
羣衆的眼
自信的，

光彩的，
一齊順着范司令的手勢
向遙遠看。
「我們唱一個歌，
唱一個「軍民合作」。」
范司令孩子一樣，
舞手蹈腳的開了腔，
老百姓不會唱，
但都隨着他唱，
字句咬不淸，
然而，
從心底發出的生命的聲音
却是那麼激動！
　那麼熱烈！
　那麼響亮！
　一個聲音
響出一個心，
北風把它

廣播到無邊無垠……

17 春光把一個希望照得更遠

在枯樹椏上
作虎嘯的朔風
死了。
塵沙的面紗
從人的臉上
揭去了，
冬——
揮起冷酷的鞭子，
驅着霜雪的車
把堅辛，
　戰慄，
　死滅，
一齊載走了，

把時間的崗位
讓給了
司春的女神。
范同令……
他從血裏，
從顫慄的手裏，
從鼻心不停的奔忙裏，
從齒子的圍陣裏，
從沒有止息的戰鬥裏，
他
一步一步的接近了春天。
春天，
把生機注進了他的血管，
他的心臟
跳動得更活潑了。
春天，
把希望
放在他眼前，

他臉上的笑
更多了。
春風
鼓蕩他，
春鳥
給他唱生力的歌，
春天
把勝利交給了他——
三萬支鋼槍，
三萬條紅纓槍，
只要他的一個命令，
可以一個營的
射出去
向着一個方向，
可以一齊射出去，
像火的舌頭一樣。
六個支隊
是他親生的兒子，

他養育他們
用父親的嚴肅，
母親的慈愛，
把心血，赤誠，
當做乳漿。
他有了
「婦女會」——
把婦女
從廚房裏，
從臥房裏，
從學校裏，
從丈夫和父母的懷裏
調集了來，
像冬眠過去的蟄虫，
他們揭去了
思想的厚被，
掀掉了
封建的牀，
她們推開了
黑暗的窗子，
腐蝕的心，
第一次晒上春天的陽光。
他有了
「農民互助會」——
每一個人
想到自己的過去
像想到一隻棄掉了臭鞋子，
昨天的愚陋，
　　自私，
　　自卑，
做成了
今天追憶的笑料，
他們是一盤散沙
被一手團起，
他們從自己身上
剝掉了舊皮。

他們的心
被點亮了，
像星星
點亮了黑夜，
現實的臉面
給他們一個新的影子。
他有了
「政治部」作生命、
設在人心兵工廠，
他有了
我抗戰與報國——
吹向人心的號，
他有了——
大型的被服廠，
小型的兵工廠，
他有了
抗戰堡壘
應該有的一切力量。

范司令——
他像古代亂世
打天下的英雄，
（他爲了抗戰打天下）
用了鄉村人情的
魄力和勇敢，
去贏心
全爲了抗戰動轉。
他看事業
比生命更重，
他剷除敵人
［像農夫
剷除惡草，
他肅清了
第六區十九縣的
太平原，
他進兵臨清，
進兵濮縣，

從別人手裏
丟失的地方，
他要把它奪回來，
他要一手
去整好一片破碎的河山。
他看見
春天
抽綠了大塊平原，
他看見
漢河的水
流上了陽光的金鱗，
他看見
燕子成群的
回到了它的舊巢，
他看見
老牛拖着犁耙
在大地的胸脯上翻，
他看見
春光
把一個希望
照得更遠，
他聽見
有一個聲音
在他的心頭上呼喊……

18　敵人從漢縣退走了——
像一羣突圍的兔子

四月天。
戰鬥在進行着
溫度逐漸高了，
坡裏的兵馬
開進了漢縣，
他們要越過河這天險，
要攻打「鍋山」。
汽車
緊靠着公路

粗喘，
日夜吐長氣——
不斷的塵烟。
范司令……
只要有機會
他會不放鬆機會，
他打敵人，
　困敵人，
　擾敵人，
在他的圈子以裏，
決不讓敵人的腳步站穩！
他的耳朵最靈，
（他的耳朵
　就是民衆）
敵人的腳步一動，
他就聽見風聲，
他到處張着情報網，
等敵人的消息

摸落到網上，
他圍攻濮縣的命令
和坂垣到濮縣的時間
差不多遠。
他發動了
他的兵，
他發動了
他的民衆，
人，從四面八方
合攏了來，
帶子一樣
把個濮縣城
裹得一層又一層，
「架機子」，
還有越過幾次監獄的
「東北風」，
他們從來打仗
像括風，

只知道向前衝，
衝，就是生！
「老日，你們這些雜種，
睜開眼睛看看你們的祖宗！」
一排子彈
連珠般過去，
敵人
追着花朵的腳步，
葬送了命
瀟瀟灑灑走過來
把手搭在一個肩上：
「朋友，白費唾蜜，
子彈和花不浪費力」。
拉開大拴，
退子彈，
他用一個微笑
報答「老頑子」的勸告。
坦坦

從火網裏
掙跑了，
他的汽車
可跑不了，
第一輛
叫地雷撞破了肚皮，
軍需，食品，
漾溢出來的肝腸。
埋伏好的人
很滿意於
親手製造的這齣戲，
笑着，跑着，
爭着去檢不花錢的東西，
他拾起一筒罐頭
往腰裏放，
「這是毒氣筒子！」
隨着別人的話
他把它扔到地上。

『送給一條火腿』，
一個人
把一條火腿
遞給另一個人。
他們在車上
禮貌著
打趣着
賞玩着諷刺的、
快七十輛汽車、
出走了，
停了，
機關槍亂叫，
人，一齊臥倒。
范司令，
臉上沾着泥，
鬍子上沾着泥，
他像一個
泥塑的身子。

轟擊
翻車壓倒，
汽車
逃走了，
像一幕[illegible]的喜劇。

19 他在默默的想些什麼

范司令，
一隻腳在車上，
一隻腳門外，
用沉默的情感，
眉開眼笑的臉，
那麼有力，
那麼長久，
手，緊緊的
握着一位客人的手！
這位客人——韓多峯，
是他的朋友，

是他的戰友，
他們有：
同樣的心胸，
同樣的義氣，
同樣的肝胆，
同樣的信念，
和一副鐵肩。
韓多峯，
他帶了二十年的民團，
用自己的犧牲，
換大衆的福利，
老百姓在心的碑石上
深刻着他光輝的名子。
在「韓青天」手下，
資歷
沒有保他做更大的事，
他，
一肚皮不滿，
一眼睛不慣，
他要爲大衆，
別人却只爲自己打算，
他要做人，做事，
別人却褻賣品格
去換個「官」。
他的這隻手
會發動過
蟻羣一樣的羣衆，
他的這隻手
曾經指揮着軍民
白天破壞公路，
黑夜破壞鐵道，
使敵人的軍用汽車栽跟頭，
給敵人一個暴死——
來不及喊叫。
他是第四區的專員，
前任把什樣都帶跑了，

給他留下的是：
殘破的局面，
一大堆困難！
他以前，
都是在工作上
同范司令攜手，
他們今天，
却用手去握着手。
新近，韓多峯
又從職位上被拿掉，
他，能幹，肯幹，苦幹，
病倒
就扎在這「幹」字上邊。
他清閒了，
來找朋友談談，
在這樣一個年代裏，
想找到個
眞能揭開胸膛
掏出眞話來的朋友，
比打着燈籠
找一顆良心還難」。
坐在屋子裏，
面對着面，
話，
還沒有引出更多的話，
茶，
還沒有把情趣
溫暖，
一個情報
來得突然：
『刀子會，
幾千人，
在磨弄槍刀
　播散謠言』……
「把車子打飽氣，
一個，我親自去看看，

我懷疑這「刀子會」；
但我相信：
眞誠可以呼
一個凍透了的良心流淚。」
「不，我替你去跑一趟，
他們許多人認識我，
我也認識他們是些什麼人；
好，就讓我替你去跑一趟，
以我的清閒
分你的忙。」
他立刻起了身，
跨上他朋友的「快馬」，
逐着車輪子跑的
有幾個衛兵
和范司令的眼光。
第二天，
聊城醫院裏的燈
照着他兩個見面，

范築先，
只看見他朋友
肩頭上的白綁布，
那洪流一樣的紅血，
他沒趕得上看見。
一粒打范築先的子彈
打在了韓多峯的右肩，
沒有命中生命，
位置高了一點點。
范築先，
沒有用多話來做個慰安，
他的神色
就已經够味！
韓多峯，
靈魂的舒貼
支持着皮肉的痛，
他替他的朋友，
替民族流了鮮血，

這鮮血
像油滴，
可以使抗戰的明燈
更亮，
更明。
韓多峯，
他疼痛的難忍
還比不上
他要報告任務急切
更難忍，
他掙扎着身子，
　掙扎着聲音，
范築先，
把耳朵
貼緊他的嘴唇。
聽他開始報告了，
小燈把火頭也放亮了幾分：
『我的車子一停』，

話打戰，
心打戰，
燈也打戰。
『他們早已擺好了：
這邊是紅纓槍，
那邊是鐵筒槍，
當中留一條夾縫，
人，扯得老長。
他們早已擺好了：
兇惡的臉孔，
兇惡的眼睛，
兇惡的感情。
我向他們的巢穴直奔，
浪潮一樣，
叫囂着，
奔流着，
浪潮，
浸溼到我的脚跟。

我進了他們的辦公處，
他們重重的關了辦公處，：
等不及我開腔，
他們朝我的窗子撒了闖，
亂開了槍。 一蹦，
我叫喊：
「我是韓多峯」！
「你范築先，
爲什麼要打日本？
爲什麼
每畝地要一毛錢？」
他們的叫喊——，
壓倒了我的呼聲！
我衝出屋來，
想用生命
鎮定人心，
一粒子彈打中了我，
當我剛剛跨出房門。

血，
把幾千人嚇倒，
狂暴挾着的情感
一齊落了潮。
我從血裏爬起來，
（神力扶持着我！）
那麼鬱勁的說了二十分鐘：
我說：我是韓多峯，
（這叫他們大吃一驚！）
我說：范司令是抗戰先鋒，
民族英雄，
我說：出錢保衛家鄉
一畝地一毛實在太少，
我說：你們聽了那些漢奸的挑撥，
作出了這樣犯罪的事情？
我說，我流着血說，
我噴着火說，

我看見，
他們的頭一個個低垂下去，
像在品評我的話味，
像把手下作出的罪孽
用良心去懺悔。
韓多峯的話結束了
拖一條呻吟的尾巴，
燈光閃不動
范築先的眼，
他在默默的，
默默的想些什麼……

20 他送給兵衆一面鏡子

范司令——
矛盾
攻破了他的單純，
現實
掘出了他理想的路徑，
鬥爭
教他怎麼去鬥爭。
他越來越明白：
我們的敵人
不只是日本兵，
我們的敵人
也埋伏在自己的羣衆當中；
他越來越明白：
攻城的利器
是熱情，
是良心，
是義氣，
是堅忍，
是理性，
是無情……
他也知道
槍炮可以攻破敵人，
他也知道了：

用觀念去攻觀念
更是要緊！
他決心要有一個新軍：
把最嚴格的訓練給它，
把最新式的武器給它，
把最重要的任務給它；
他決心整頓舊軍：
把張郁光，齊自修的訓練大綱給它，
把政治工作員給它，
把一些新的東西給它。
他決心，
更大規模的發動智識青年，
到鄉村去，
到家庭去，
到淪陷區去；
去發動婦女，
　發動工人，
發動農民。

他自己清楚：
勝利的抵押
不僅是手下的幾萬大兵，
不僅是它，
是比幾萬更多數，
　更有力，
心的向背可決定勝負的民衆。
農人手下的鋤頭
給他送來軍糧，
他們把掙得出汗的錢，
送給他做政費軍餉；
工人的手
像梭一樣，
在小型兵工廠裏忙，
在修械所裏忙，
在被服廠裏忙，
他們的手
給他送來

手榴彈，
淘煉好了殘廢的槍。
什麼都給他，
給他的部隊，
叫他們吃的飽，
　穿的暖
一心打敵人，
不必向後看。
在他們手下
佈地的戰壕、
像雨後的蚯蚓，
在他們的手下
深溝填成平地，
平地翻成深溝；
把地形變成一個樣，
給敵人擺下迷魂陣！
他們的肩頭
給他擔傷兵，
他們的眼睛
給他放哨，
他們做他的耳朵，
消息比他的電話更快。
秋風起了，
她們的手引着針線，
棉背心，
布鞋子，
她們的手
為抗戰生產
總司令——
用一隻新的手
去刷白政治的污牆，
不，他要把政治
另造一個嶄新的建築、
他們鬥爭
去團結，
　利用，

一切可以團結
　利用的力量。
從民衆那邊
拿來了財力，
他把另一些東西：
送到他們的手裏：
給他們自由，
給他們解放
給他們活動，
給他們勝利——
給他們一面鏡子，
叫他們從上面
去認識自己。

21 他一手解開了東阿的圍

謠言像水
有孔就鑽，
它有千變萬化的樣子
在人的耳朵裏
孵化繁殖，
用了阻敵人搏鬥的力量，
范築先，
咀嚼着苦痛
咬緊牙關！
機會來了，
來叫他用自己
或敵人的血
洗白心地，
機會來了
叫事實
去解說
一些用口解說不清的東西。
七月天，
高粱桿
像一身刺刀的長槍

漫坡衰壟遍，
省政府戰鬥到東阿[illegible]。
敵人包圍了它，
先後
僅僅差半天的時間。
范築先太
聰實，
叫他去救
一個主官，
雜務，
叫他去救
抗戰的友伴，
機會
叫他用子彈
去擊碎謠言。
他舉動了
他全力的大半，
幾萬人馬

藉高粱做掩蔽傘，
從四方八面，
拿東阿做中心，
織成一個包圍圈。
出發以前，
范司令的誓師詞很簡單：
「把東阿拿下來，
不然，我們便死在那邊！」
帶着范司令
感人的義氣，
感人的淚，
弟兄們出發了，
個個勇氣
打得很飽滿。
范司令，
被陽光漂白了的灰軍裝，
汗和着灰塵

在上面畫圈，
汗，也從額上往下滴，
他的頭像一個泉眼。
他把兵力的一半
套在敵人的圈外，
另一半，向着黃河套
展一副扇面，
他用槍聲
引敵人向南，
然後，扇面一合，
七百條敵屍
躺在沙灘。
主席站在聊城的大場子裏
對幾萬軍民訓話，
那一團空氣
感動了他，
說過十萬句熱情的話。
他知道了
范築先的心
在爲着什麼深碎，
他知道了
范築先在怎樣的情況下
完整起這二十幾個縣分。
他看到了
這些軍隊，
這些民衆，
在打誰，爲誰打，
他看到了
吃小米，
喝白水，
精神的腦力
使他們對窘困緊咬住牙！
什麼都清楚的
在他眼前，
什麼都明朗的
在他心間；

然而，
他並沒有訴說一句話——
范築先。

22 斬斷了，矛盾的結子！

把一個重担子
負在戰上的人，
他要有：
鉄的肩膀，
海的胸襟，
和記住羣衆
忘却自己的
那罰精神，
他更需要
硬的耳根
和耐得住折磨的靈魂。
范築先——
這些天，謠言
要吹破他的耳膜，
矛盾的報告
礦得他眼裏冒火星子！
這是問題，
你不能不理，
這些矛盾
種在人心地，
隨着時間
抽芽，開花，
當人眼能夠看到它時，
已經是它結成的果子！
磨擦，
比敵人更可怕！
磨擦
就是自殺！
磨擦，
磨碎了多少人心？
磨擦，

把戰友變成仇家！
磨擦，
推倒了鞏成的大業，
磨擦，
碾碎了多少個國家！
范築先，
他結着眉頭苦惱，
他走來走去的苦惱，
他找到了矛盾的結子，
他要斬斷它，用快刀！
他知道，
沙石的頭腦，
不是生長政治工作的好土壤，
他知道，
慣於夜間唱歌的鳥兒
怕見太陽，
他知道，
把個人的兵權
摘下來交給國家，
自私的念頭
會慫恿他怎樣去想。
然而他更知道，
怎樣去闢寬
近視的眼孔，
怎樣去開拓
自利的心胸，
怎樣去給
頑石的頭腦鑿洞，
用怎樣的一劑藥
去攻自己部下的心病。
他招集了
架機子——樂省三，
他招集了
頂水子——子路則，
他招集了
東北風——韓春河，

他招集了
張維翰，石安典，張永言？……
兩排長凳
坐下了二十幾位英雄，
范司令立在前面
像羣山的主峯。
他們，都先嬉笑着臉子
聽「老頭子」要講些什麼話，
他們真心愛戴他，
替他賣過力氣，賣過命！
當他們發現
他的臉色不對勁「──……」
每顆心上
都有一個怕！
（他們會怕過什麼！）
烏雲
陰了每一張臉，
呼吸
網成了一條絲線。
『紀律不好，
怎能夠和民衆打成一片？』
人們耳中運響了兩個霹靂，
范司令的話像崩裂的山！
『你們想：
從那裏
來的軍械？
你們的
那裏來的
身上的軍裝？
你們不要民衆，
我要民衆！
沒有民衆，
有萬馬千兵
不還是獨夫一名？
你們想想孫傳芳，
你們想想張宗昌，

離開民衆的軍閥
得到的是個什麼下場？
要幹，
就得幹的有聲有色！）
不幹，那乾脆，
把「國防」交還我，
何必委曲着當識「官匪」……
話刺着人臉，
臉全紅了，
話刺着人心，
心，縮成了一團。
范司令的話
是不容情的刀子，
范司令的話
是一鼓作氣的挺進軍，
它，趕盡殺絕的
去掃蕩殘破的敵人：
『你們看政工人員
是眼中釘，
你們怕手下的弟兄
變成聰明！
你們把他們
看做私產；
你們只認識槍桿，
　只會玩槍桿，
怎麼不早生他二十年！
那時候，
槍桿在手，
可以生殺，
可以鎮壓；
可是目下：
一切力量都屬於
抗戰，
一切力量都屬於
民衆，
一切力量都屬於

顧家。
我有一點自私，
你們不要再呼我「老頭子」，
我有一點自私，
你們拿我的話當
放屁，
請你們擦亮眼睛，
隨時隨地來監視。
我要派
更多的女同志
去教弟兄們歌子，
我要派
更多的男同志
去給弟兄們
輸送知識，
你們患了
太重的病，
我在給你們
良藥一劑……。」
范司令、
放下了話、
可沒有放下臉，
聽的人、
混身不好過，
像剛抽過了
一頓皮鞭。

23 鏡頭留下了一個永久的友誼

電話報告過了，
卡爾遜先生的車子
駛向這邊來了，
聊城，
水一樣的波動起來了，
消息，

風一樣的
鼓盪起來了，
人心，
要衝破胸膛那樣的
歡騰起來了。
用中國字寫着的標語，
站在牆上，
高呼：
「歡迎國際友人」！
用英文寫着的標語，
兄弟似的
站在中文標語的身邊
高呼呼
「歡迎國際友人」！
青天白日滿地紅的國旗，
藍天的紅雲彩一樣的，
快活的打着招呼一樣的，
鼓盪着，

威耀着，
「歡迎國際友人」。
把歡迎的隊伍
開出去，
把抗戰的隊伍
開出去，
把民衆和一切力量
全都開出去。
持着鋼槍的大軍
開出去了；
打着小旗子，
小旗子上寫着「歡迎」的
婦女隊，
政工隊，
學生隊，
開出去了；
老百姓，
上千上萬的，

男的，女的，
老的，少的，
從城市裏，
從鄉村裏，
一齊開出去了。
歌聲，
沸水一樣的
把人羣送遠了；
旗影，
樹葉一樣的
把人羣送遠了；
五六萬人
一扯十幾里路，
鑲在高粱地頭上，
鑲在公路的兩邊，
太陽
炙得高粱出油，
太陽
炙得人身上出油，
太陽
要在紅纓槍的紅纓上
灼火，
可是，
太陽還沒有人的情感
那麼的熾烈[illegible]
范司令
騎着他的快馬
從人的胡同裏穿過去了，
范司令帶着他的
軍事部長，
政治部長，
從人的胡同裏穿過去了，
他的車輪子
閃着美的亮光
從人的胡同裏穿過去了——
帶着羣衆的眼光，

帶着千萬人的崇敬，
帶着無敵的力量。
汽車的喇叭響了，
軍樂的喇叭響了，
乒乓的爆炮響了，
歡呼的聲音響了，
火樣的歌聲響了，
擺動的旗子響了。
響聲……
從這一邊
响到那一邊，
又從那一邊
響到這一邊，
分不淸
那裏是起頭，
那裏是接應，
那裏是發動，
那裏是回聲。

大，
彷彿沒有了，
人，化成了
一片有力的響聲，
大野，
彷彿沒有了，
大野也化成了
一片無邊無際的響聲。
卡爾遜先生來了，
帶着他的隨員來了，
范司令來了，
帶着他的幹部
陪着他來了。
卡爾遜先生，
右手舉着他的草帽，
用驚奇的眼向着大衆，
用敬愛的臉色
向着大衆，

用旗幟的點頭，
向着大衆，
用同樣的興奮
向着大衆。
羣衆，
高舉起旗子
回答牠；
用鋼槍和
錦紅纓槍，
用立正的脚步
和立正的心
回答他。
朱爾邁先生，
和范司令，並肩立在
台子上，
可以容納五萬人的大操場，
它靜靜的
把人容納下來了。

人，
向台子上瞪着大眼睛，
看，
嚴肅的靜，
百尺桿頭上的國旗，
在天空悠然的飄動。
范司令開口了，
幾萬人
仰望着他，
仰望他的參差人」。
　他的白髮，
一個個
把耳朵側楞起來，
舒貼的預備着
「收」他那親切的聲音。
「我們不是孤立的，
不是的，中央關心着我們，
　接濟着我們；

我們不是孤立的。
不是的，外國的朋友們關心着我們，
　　接濟着我們。
黃河，
限不住我們；
大洋，
限不住我們，
世界上主張公道的人，
是弟兄，
是一條心；
世界上的強盜們，
另外是一夥，
他們，
是我們共同的敵人，
他們，。
是人類共同的敵人……」
掌聲
漲起又落下了，

人的心
更大了，
人的氣也更壯！
「我們不是孤立的，
我們不是孤立的，
在黃河那邊，
在大海那邊，
我們有
萬萬千千的友人」。
卡爾遜先生
和羣衆面對面的
站立着，
（心也對着）
站了幾分鐘
不給他開口的機會
留一條縫，
掌聲
鼓破、手的響着，

卡爾遜先生的話
借了歐陽山尊先生的嘴
清楚的送到
幾萬人耳朵裏來了：
「我看到了，
我什麼都看到了，
我看到的
比我想到的更多！
我看過了
許許多多的地方，
我看過了
許許多多的情形，
這樣，
我才更愛聊城！
日本人說
他們戰勝了中國，
我在這裏——
在晉西北，
在淪陷區裏，
却看到了
完整的二十幾個縣，
我看到了
新的生機，
新的英雄，
新的民衆。
割着黑線的地區裏，
我却親眼
看到了
耀眼的光明！
讓我們把手拉緊些，
中國的羣衆，
美國的羣衆，
英國的羣衆，
蘇聯的羣衆。」

森氣

在歡呼鼓掌聲裏
震動，
人心，
在歡呼鼓掌聲裏
飄動，
旗子，
在歡呼鼓掌聲裏，
搖動。
民衆的代表登上台子去了，
他代表六區的幾十萬民衆。
他希望，
美國的朋友
再多些
供給我們大炮和飛機，
他希望，
卡爾遜先生
向全世界
廣播聊城這血的戰績。

他說：「如果說是勝利的話，
這才不過是勝利的開始，
我們要用更大的代價，
去爭取更多的東西……」
照像機
搬起架子來了，
群衆，
舉起了旗子；
舉起了
紅的纓鎗，
黑的鋼鎗——
舉起了勝利，
中國人，
美國人，
一齊向着光明的鏡頭，
留下了一個永久的友誼。

24　挺進大隊

「山東省第六區游擊司令部
　抗日挺進大隊」
一塊長長的木牌子上，
寫着這長長的一串名子。
二月的東風
吹生了這一個團體，
在春天裏他扎下了命根，
它的生命
也就有了
春天一樣的活力。
他們營盤的前身
是「聊城附小」的舊校址，
他們，小學生一樣
學習抗日的一切智識。
最先；只有幾十個人
在時間的命令下出入，
人數
隨着時季增長，
從春到夏，
從三十
增長到一百幾十。
牌子上的大字
引惹着人眼，
號召着人心，
它伸長了頸項喊：
「走進來，
　有志的青年」！
范樹民，羣衆把他
擁上隊長的職位，
他二十四歲，
有着他父親的和藹，
有着他的骨氣和意志，
我們不妨這麽來介紹：
他就是范司令的
一個年青的影子。

何芳——

揚州是他的故鄉，
「南開大學」是他的母校，
現在，他是大隊的參謀長。
高高的個子
像他的人格一樣高，
他嫩白的臉皮，
和他的鋼鐵的意志，
有意來作
極端的對照。
他用細密的絲
結計劃的網，
執用它，
卻用斗胆
和鐵的手腕，
他用刀子嘴
去解剖國際現勢，
聲音，
有泉水的韻響，
姿勢，
給他的話
繪染了色調和力量，
字句吐出口
像朝霞吐出日月，
聽衆的心上
照滿了
明朗的輝光。
談話，
演講，
歌唱，
他的舌頭
是一條金的彈簧。
（他們愛戴他，
　像愛戴隊長一樣）
隊附高春雲，
指導員閻我，
大家生活的融洽

就同義氣的融洽，
因爲，大家的生命史上
寫着同樣慘痛的字句，
因爲，大家的年齡
差不多大，
大家走着一條道路，
向一個偉大的目標，
把生命結成一個，
用全副力量
去接近它。
隔牆，
你可以聽到講書的聲音，
隔牆，
你可以聽到唱歌的聲音，
不是大門口站着兩支鎗，
你準把這裏認做了學堂。
是的，這是一所
抗日的學堂，
他們刻苦的
在教室裏
向書本子學習，
他們，風雨不避的
到野外去
向鎗桿子學習，
他們的心頭上
豎立着一個「鵠的」。
一位女同志的身影，
從這個大門裏閃進閃出，
不分時間，
也數不清次數。
她是范司令的女兒，
她是范隊長的二姐，
她是何參謀長的愛人，
她是大家的好同志。
她從遠方
帶回來一副新的眼光，

一副新的觀念的尺度，
一個更結實的身子，
一個嶄新的宇宙，
嶄新的自己。
她眞果
把長衫脫掉，
她的靈魂
也脫去舊皮，
灰布軍裝
從她不太好看的臉上
襯托出自然；
紅脂白粉，
色情的長衫，
不能把醜變美，
正相反，
它使醜的更醜，
醜得刺眼！
范樹琨，她是「婦女會」的靈魂，

她們就住在隔壁，
一條線上的戰友
永遠是近鄰。
人家出操，
她立在一邊
像個見習官，
人家上講堂，她，
坐下來聽，
像一個隊員。
閒談，
辯論，
歌詠，
你總可以聽到一個
女子高音，
還高音
笑出
說出
唱出

一個健壯
　高爽
　　亮響的心。
這高音，
却不是孤特，
它同別個心鍵的音響
高低協合，
合奏出
一個戰鬥的
　　光亮的
生命之歌。
在燈光底下，
她哥哥，她愛人，
幫助她思想，
她也幫忙他們，
在能幫得上忙的地方。
在夜晚，
她也把一段時間
單獨的送給何芳，
月光，
把愛情的顏色
照到兩個人的眼裏，
　　眼邊，
　　和心上。
他的美
撼動了她的心，
然而，美不就是愛，
美，不是一切，
吸緊她的
另外還有塊有力的磁鐵。
她從他身上
吸取了力，
反轉過來，
她傾給他愛情，
把新的活力
注射到他青春的血脈裏。

25 生命的突擊

離開這狹小的教室，
讓我們到民間去學習，
離開這狹小的操場，
讓我們到戰場上去射擊，
幾次把熱情和希望
寫成一篇激昂的報告，
幾次批駁下來：
「再學習，時機還不到」。
范司令，
像有意磨他們的心，
　逗他們的勁，
一旦放出去，
給他個痛快的發揮！
七月梢頭的一天，
東征的命令
下到了

挺進隊員的眼前，
叫他們配合着大隊
去包圍濟南。
他們
迎接它：
用狂呼
用跳躍，
用野馬脫韁的歡騰，
用敲桌子拍掌的
一陣瘋狂的混亂。
下午，
天氣晴朗得
像心境，
氣候熱得
像熱情，
他們——
第六區游擊司令部抗日挺進大隊，
向着敵人

挺進了，
隊長在頭前，
排在第二的
是何參謀長，
他，穿着短褲，
佩着短鎗。
教堂，
睜着空虛的眼睛
送他們；
操場，
睜着留戀的眼睛
送他們；
民衆，
睜着興奮的眼睛
送他們；
范司令，
睜着[illegible]望的眼睛
送他們。

范樹琨，
一個人
送他們，送得
老遠老遠，
「勇敢些，
好，再見」！
她把從何芳手裏
拉回來的手，
向他，向大家
一揮，
「把勝利帶回來，
我還跑到這兒來迎接」！
頭也不回，
各人
走向自己的路，
充盈在她英雄的眼裏
有兒女的淚珠。
一百多支鎗，

掛在一百多個年青的肩膀上，
太陽
把黑的鐵筒，
鍍上了
金色的光。
農夫手下的鐮刀
把高粱斬淨，
一眼千里的曠野
像一個寬廓的心胸。
一百多隻影
在地上移動，
地、
呼出了聲，
一百多張口
在歌唱，
歌，
給了大野一個生命。
這隊人：

一個步子，
一個心胸，
一個音響，
一個巨影。
他們動着——
永遠不停的動着，
像一個不死的精靈。
兩天，
撇過去二百多里路，
一個人，
一天要一斗水，
一斗水，
化千萬顆汗珠。
踏入齊河境，
踏近齊河城，
它懸身在一條橫線的尖端，
八十里外的大明湖上，
該有個千佛山的倒影。

（黃河的身子
　橫在它倆的當中）
他們把大隊
拆散成小組，
老百姓的胸懷
就是活動的區域，
有的用歌子
去打動人羣，
有的用口才
去說服人心，
街頭劇
場頭就是舞台，
白天，月夜，
幾時出場，
看的人總是擁擠不開，
演「活捉鬼子」，
鬼子
就在幾十里以外，
「唱打殺漢奸」，
漢奸，
就雜在聽衆中間，
他們口裏的話，
正刺中
民衆的創疤，
叫每個人
從舞台上
去認識自家。
老百姓，
他們的愛，
他們的憎，
他們的歡欣
　和悲痛，
變幻着他們的臉子
和心情。
部隊裏，
晃不斷的人影，

響不絕的語聲，
老百姓
來給他們送飯，
老百姓
來給他們送友情，
同一命運的人，
三句話
情感就可以交流，
善良純樸的心，
一隻手
就可以抓緊。
八月二十八號的夜
正走向黎明，
鷄子還沒開口，
人，還在夢中。
步哨
跑過來報警，
百多條身子
急忙翻起來，
集合又分開，
分成四隊
向四面衝。
大炮，
向這寨子投霹靂、
光火，
像落地的天燈。
機槍，
像毒火裏的炸豆，
藉它的威力，
敵人一步步圍攏。
五點鐘，
黑夜兌換成光明，
前後左右
全是敵人，
槍聲炮聲
無法分清。

一百多人
又結在一起，
硬着頭皮
向西南猛衝！
一百公尺內：
槍口對槍口尖叫，
正義同殘暴對面，
壯烈的對罵，
漢奸的鬼臉，
什麼都清楚，
什麼都明顯。
手榴彈扔過去，
眼看敵人
肢體撑開驅幹
飛上了半天。
隊長范樹民
在前邊
破命吶呼，
參謀長何芳，
口是衝鋒號
吹着「向前」！
一百多個人
沒有一個不是好漢
那精神，
那氣勢，
那悲壯，
那勇敢！
騎兵包過來，
馬子把隊伍衝散，
槍彈
它認識人：
放倒了范樹民，
放倒了何芳，
放倒了高春雲，
放倒了
二十幾個中國的靑年。

（這怎麼好，
　不睜眼的老天）！
轉戰則焦廟，
二十四個烈士
二十四口白棺。
驪車，
排成白色的一列，
載着爲求生得死的
民族巨人，
載着中華的國魂，
它們，
牽着民衆的淚眼，
它們，
載着民衆的悲嘆，
他們，
用死證實了
自已的志願，
他們，
做個樣子給千萬人看。
那九十多個
死者的戰友，
民衆的伙伴，
分排在
驪車的前邊後邊，
他們有白淚，
也有紅血，
步子一點也不亂，
今日過去了，
還有個明天！
「范隊長陣亡」！
有人向二小姐報告，
「何芳爲何不死」!?
「何參謀長也戰死了」！
她一聲叫，
她一頭搶到地上，
半天才聽見號啕。

范司令的房子裏
人擠得轉不動身，
勸慰的話
觸痛了范太太的心，
范司令他眼裏沒有淚，
手撚着鬍鬚，
眼向着屋頂出神，
口裏念念着一句話：
「犧牲，不要緊；
　只是這一次太不够本」！
范樹琨，
到送別的地方
去迎接他們，
迎接他的弟弟，
他的愛人，
迎接那九十幾位
泅過死海的同志們。
她哭了，
因爲她是個人！
他們都哭了，
因爲他們都有顆
肉長的心，
九月的黃土，
埋葬了，
二十四個靈魂，
一座石牌
刻上一個名子，
刻上家鄉和年歲，
刻上
他們死的地點和原因。
憑弔的幾千人，
用眼淚
舒鬆了胸中的悲痛，
死者的精神
向他們心那化生，
國仇，家仇，

結成一條繩，
范樹環，
她領起了這一隊人，
攻高唐，
攻夏津，
她記住敵人
就像記住仇恨。

26 九一八：生的開始。

九一八，
這死的一日，
生的開始，
九一八，
這比挖去心頭肉
要痛的日子！
揩乾眼淚，
不要叫眼淚
淹沒了志氣，
把悲傷放在一邊，
這是用勝負
來結賬的一天。
范築先，
一個意志
貫串二十幾個縣，
幾萬兵馬
向濟南
火急的動員。
他要
血祭九一八
他要叫
槍的炮口
替他講紀念的話，
他要在敵人眼裏
顯示威力，
他要叫這慘白的日子，
開出一朵

勝利的紅花。
敵人的耳朵
比狗子還機靈，
風信剛起腳
樹葉便有聲，
東阿，平陰，長清，
他把緊了據點，
我們的大兵
楔進了他們的縫。
兵，
像戰着頑敵
草軍裝
戰着秋風！
范司令，
也是一樣，
不一樣的
是他更高的年齡。
「我們什麼也不愁，
只愁拿不下濟南；
下不了濟南城，
我們還有什麼臉」！
暗夜
掩藏了黃河，
黃河上，
兵船往返的織梭，
巨浪，
壯大了人心，
它像中華的國魂，
吼叫着
在通力翻身。
宇宙是黑暗，
心卻放亮，
路道看不清，
眼睛是電筒。
距離一步一步的近，
心，「紘一紘的緊！

一點，兩點，三點，
越看越多的光明，
這不是天上的電燈，
還是人間的學星，
在這光明的帷帳裏
睡着一個濟南城。
望不見
「華不住」的山峯，
千佛山的頂；
那裏是
大明湖上的秋色
趵突泉的噴湧？
在那裏？
黃河的脊骨——
洛口鐵橋的遺尸。
槍——
響了，
把夢裏的人民
叫醒：
炮——
響了，
炮聲
把這古城震動，
打進了
魏家莊的兵營，
打到了
緯十一路，
從黑夜裏
打出個天明。
九一八，
烈士的血
染紅了濟南城。

27 戰鬥整整的一個年頭了

日子，
一刻一刻的

一時一時的
一天一天的
從艱辛裏
從死追裏跳落下來，
又叫
血的流，
一條線的戰鬥
慢慢的引走。
一年了——
去年今天，
幾句話推開了
韓主席十幾年的關係，
去年今天，
在黃河北岸
發出了
「誓死不渡黃河」！的通電——
向天下的耳目
投出了一道決死書，

一篇六字的宣書！
一年了——
秋風吹白了棉花，
范司令，
成功的歡喜，
烏黑了
他精神的面貌。
一年了——
憑一張口，
建立了十萬大軍；
一年了——。
憑一顆心
喚起了比隊伍更多的人民；
一年了——
憑一隻手
紅回來二十幾縣，
聊城的名子
在敵人耳朵裏轟傳。

古樹的花朵　　—122—

流了敵人的血，
破了敵人的膽，
把一年的勝負
加起來再減，
結數掛在算盤珠上，
像白日懸在中天。
不多想
過去的艱難，
只爲了未來的艱難
打算，
不多想
過去的犧牲，
這神聖的犧牲
並不是白白給死神上供。
一週年，
開個大會來紀念，
不是對着勝利的花朵，
微笑的自滿；

是力量的檢閱，
是自信的增添，
是精神的激勵，
是爲了明天更大的發展。
廣場的大門前
在十數匹大馬在游散……
抹一下會灼火——
毛像綢緞。
頭朝着天
打起響鼻，
是把眼前的場子
認做了戰地？
蹄子上
帶着風雲，
雙腿上
力在跳躍，
秋風不停的吹，
它們不停的嘶。

大餐廳裏
坐下了范司令，
坐下了
男男女女的代表——
代表幾十縣的幾百萬民衆，
坐下了王金祥，
苗振武，齊子修，
坐下了于耀川，劉耀庭，
坐下了張郁光，任夷，何可，徐法，
坐下了韓春和，樊省三，
坐下了
三十二個支隊司令
三十二個金星的將官。
坐下了
二十四個獨立團，
軍事教導團，
政治幹部學校，
坐下了
軍事，政治，文化，教育的
一百多個主官。
這些人，
有着不同的姓名，
有着不同的年齡，
有着不同的性別，
這些人
一個人一個過去，
事業的不像
就如同臉子的不像一樣。
是的，不一樣。
不一樣；
但有一個目的，
大家向着它
把千萬條眼光
注成一條眼光。
不一樣；
但有一個力量

把大家捏成一個，
為它生，
為它死，
陌生冤家
變成生死兄弟。
用槍，
用筆，
用血，
用肉，
大家從過去
齊步走到目前，
從目前
走向遙望。
今天，她們身子挨着身子，
心碰心，
眼襯眼，
一股溫暖義氣的流
在彼此的胸膛裏貫穿。

一個人，
饒幾個，
菜一碗，
患難的弟兄
同桌吃勝利的一餐。
「對不起，我的牙嚼不爛，
今天，我要獨享
太太給我蒸的這碗大米飯」。
范司令
向大家抱歉，
大家回答他，
用兒子回答慈母的笑臉。
「大會開始」
洋鐵筒的大口
吞沒了嘈雜的語聲，
像麻雀窩裏
掠過來一隻驚鷹，
突然而來的

那陣霜霧。
向上看，
國旗試探着
去拂青天。
向下看，
人頭像六月的雨水
把池塘灌滿了、
風一吹動，
旗子的浪頭亂翻。
旗子上
寫着學校的名子，
旗子上
寫着國體的名子，
旗子上
寫着勝利的名子。
松柏的台柱，
把個講演台
捧得那麼萬高，
那麼尊嚴，
紅血一樣的花朵，
開在青草的中間。
台子正中，
矗立着蔣司令，
身後圍繞着
他的幹部。
臉前擁集着
他的羣衆。
他，立在台子上，
立在人的胸中，
他的羣衆
用眼仰望着他，
用心仰望着他，
像白天仰望着
太陽，
夜裏仰望着
北斗七星。

他的話
碰得他的長鬚飄動，
他的話
碰得人心響動，
他的話，
把鐵石打進空虛，
他的話，
把勝利交給羣衆，
他的話
給蒼白染上顏色。
他的話，
給死寂點出響聲，
他的話，
把戰鬥的精神
波動到無窮。
他是在檢討，
他是在閱兵，
他清楚自己的力量，

他更清楚
敵人的分兩有多重。
黃昏
還在邊境留戀，
燈火
到處給黑夜催生，
大街小巷，
扯不斷的人影，
扯不斷的歌聲，
扯不斷的紅燈，
整個的聊城
是一斷光明。
飛機
帶着光亮的翅膀，
要飛上天去
保衛領空，
汪精衛的漢奸臉子，
刺人的眼睛，

蔣委員長的像，
又高又大——
頂天立地的一個巨靈。
人羣
像一條龍，
腰身擠滿了
每一條胡同，
尾巴還沒有開始擺動，
頭，已經探到了萬壽宮。
萬壽宮前
人頭
像山頭亂攢動，
萬壽宮前，
無數笑着的眼睛
送雲燈飛上天空，
星星失了光輝，
月亮沒了顏色，
雲燈的光明
霸去了夜空。

28 他和聊城一齊倒下去了！

范司令，
是敵人眼裏的
一個硬釘子，
聊城，
是他咽喉裏的
一根毒刺。
他，
給敵人苦痛，
他，
叫敵人好肉上化膿，
他，
給敵人一個不放鬆，
他，

從敵人心上抓走了平靜。
敵人，
要拔去這個眼中釘，
敵人，
要除去這塊心病，
他把分散的力量
集中起來，
八面攻擊的箭頭
瞄着聊城。
消息長着腿，
它跑來報告范司令，
比敵人先走一着，
他把十萬兵
分佈到各縣去
作這抗日堡壘鐵的屏風。
留在身邊的
只有一營人，
范司令，他有鐵的自信，
他相信，
敵人決不能踏近聊城！
自己的「兵」「馬」
正要渡河，
敵人不從天上降落，
他沒法來個突然的「將軍」。（註三）
可是，這回敵人真果來了，
從范司令意想以外來了，
從一年來的例子以外來了，
大個隊伍
帶着飛機來了，
帶着大炮來了，
帶着怒潮和決心來了。
情報
催促他趕快出城！
他的幹部
催促他趕快出城——
用愛護的話

感他，
用責任的扭子
壓他，
用一個領袖
關係全局的話
點他，
用不到萬不得已
不能輕易冒險的話
動他。
可是，
他不動！
他的意志
鐵一樣硬，
他的臉色
鐵一樣青，
他說，
今天死也不走，
死，
也要死在聊城，
范太太
「用一隻四十年夫妻的恩情手
拉他走，
用眼淚
牽他走。
小姑娘，
跪着，哭着，
爸爸一聲，
嗚咽一聲，
用可憐的小手，
抖戰的小手，
扯着他的衣襟，
哀求他走。
「不是勸我走，
你們是想找一個走的藉口」，
一屋子人[illegible]！」
絕了聲息，

空氣，
凝成了鋼鐵一塊，
他的身子
不動，
大家的身子
沒有一個敢動，
他臉上的表情，
就是大家臉上的表情。
「走？我不是你的丈夫；
　我不是你的父親」！
范司令
掙開了孩子的手，
反過來，
用自己的手
抓住了她們：
「不准你們走，
和我，
和士兵，
和老百姓，
一道守住這座城！」
他的手，
抓得像死人手
那麼緊，
他的臉上
那裏借來的熱風！
（他的話頭
　和他的心一樣的沉重！）
孩子
哭得更兇，
母親用哀憐的調子
給她講情。
「好，讓你們走吧！」
他的手

放她們走了，
走出西門，
他也立起身來走了，
走向東門
去指揮隊伍
打擊敵人。
這時候，
炮彈同城圈
落雨點，
落在房子上，
房子一片紅的，
落在平地上，
平地生着山頭——
沙土，
爆裂，
硝煙，
悶人的鼻子。
迷人的眼。

飛機，
一隊剛去，
一隊又來填，
抬頭只見飛機
不見了青天。
它低飛掃射，
俯衝投彈，
它驕傲，
它大膽，
它要把一個意志粉碎，
它要把這座古我炸完！
生命，
在槍炮聲中
搖動，
鼓樓，
在槍炮聲中搖動，
整個的城，
成了一團火

一團煙
一片紅。
城牆，
時炮彈打下，
范司令，
他屹立在那裏——
屹立在火網裏，
屹立在弟兄們當中，
不吃飯，
不疲倦，
像一尊天神，
子彈也不敢向他侵犯。
太陽，
煙霧迷了他的眼，
不知道
什麼時候從東方
走到中天，
也不知道，
什麼時候
嚇得發着抖
躲開了人間。
范司令——
衛兵請他下來，
他瞪眼，
用手拉他，
他怒罵，
啐他的臉！
他在支持着
用他折不斷的意志，
用他神賦的力，
用他死一個少一個的隊伍，
去抵當飛機大炮
和洶湧的強敵。
一個永不會失敗的信念
（是的，正義永遠不會失敗的！）
支持着他，

他用犧牲
支持時間，
（看誰能支持得長遠了）
他苦鬥着，
　苦鬥着，
等待後援。
（四方的援軍
　全給敵人截擊。）
白天過去了，
不見兵來，
夜又消失了，
還不見兵來，
敵人的兵力
　火力，
却越來越厲害！
十一月十四號的拂曉，
煙幕彈
掩護着敵人爬進城來，

弟兄們
把東門打開了口，
敵兵
像水灌了進來。
穿過火，
穿過煙，
穿過死線，
范司令
跑到了北門，
北門樓上
敵兵已滿站滿！
頭上
是嗡嗡的飛機，
耳邊
是嘎嘎的子彈，
身前身後，
身左身右，
敵人

已經[illegible]到了跟前來，
他從衛兵手裏
奪過來一支手槍[illegible]，
反過身
又轉回去，
他向敵人
射出了子彈，
[illegible]射[illegible]了[illegible]，
[illegible]射[illegible]生命，
不[illegible]屈的心！
自[illegible]大叫了一聲，
[illegible]的[illegible]子彈
（把自己[illegible]在地下，
[illegible]用死[illegible]。
結束了他的大業，
[illegible]
[illegible]血，
（實證了他的「[illegible]」）。
他的舊部們
[illegible]
軍事的，
政治的，
文化的，
一齊擠在鼓樓
又跑到西關城，
最後[illegible]，
連結西城和呂祖廟的
一條[illegible]，
敵人埋伏好的機槍
突然把[illegible]，
[illegible]倒下去了，
[illegible]都[illegible]，
[illegible]倒下去了，
何法；
[illegible]倒下去了……
[illegible]多條身子
一齊倒在聊城的上焦土。
[illegible]。一九四一年春。
註一：復仇之神
註二：[illegible]抗戰口號
註三：借用象棋術語

東方文藝叢書之一

古樹的花朵

中華民國三十一年十二月初版（渝）

實價七元五角

著者 臧克家
編輯者 葉以羣 臧克家 田仲濟
出版者 王畹薌
發行所 東方書社
重慶：
成都：祠堂街
漢中：川主廟街
印刷者 建文印刷廠

[illegible]